趣汉乐 游字园

扫码玩转读识写

▶ 看视频
认读汉字笔画

♪ 听儿歌
巧学部首字族

★ 笔顺动画
解析汉字笔顺

☰ 拓展学习
夯实字词基础

特 别 鸣 谢

　　上海市闵行区第二实验小学2015级一（3）班的小朋友为《趣读识写一条龙》(下册)"字族儿歌"提供"练一练"小故事。他们是：

李小凡　　张艺舟　　郝凰歌　　黄祎宸　　许安

沈欣童　　刘哲轩　　朱笑行　　张子妍　　肖睿

陈陆洋　　郝徐睿　　王语瞳

扫码获取
· 看 视 频
· 听 儿 歌
· 笔顺动画
· 拓展学习

韩兴娥课内海量阅读丛书

趣读识写
一条龙

第2版

朱霞骏　韩兴娥　吴昌烈　鄢文俊◎编著

编　委：金文伟　王爱玲　徐美华

刘维丽　张爱玲　董　静

下　册

江西人民出版社
Jiangxi People's Publishing House
全国百佳出版社

目录

字族儿歌

字族儿歌

扫码听儿歌

字族儿歌

成	丁	青	马	良
巴	己	争	支	斤
也	罗	果	我	冈
可	兆	皮	少	由
方	交	半	亢	王
主	令	扁	曼	平
元	容	夆	尚	央

1 长 城
cháng　chéng

成

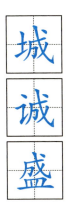

城
诚
盛

xiān huā shèng kāi　　lǜ shù chéng lín
鲜花盛开，绿树成林。

shān huán lǜ rào　　wàn lǐ cháng chéng
山环绿绕，万里长城。

zhēn chéng zhù yuàn　　zǔ guó qiáng shèng
真诚祝愿，祖国强盛。

gòng tóng zhù chéng　　xīn de cháng chéng
共同筑成，新的长城。

练一练

　　小欢一直有登上长_____的愿望。有一天，他真_____地对妈妈说："我想在金菊_____开的秋天去登长_____。"国庆期间，妈妈果真陪小欢登上了雄伟壮观的万里长_____，小欢的美好愿望终于实现了。

3

中

2 时钟

钟
盅
种
冲

shuì jiào yào shǒu shí   jì zhù kàn shí zhōng
睡 觉 要 守 时 ， 记 住 看 时 钟 。

jiā zhōng lái kè rén   sòng shàng chá yì zhōng
家 中 来 客 人 ， 送 上 茶 一 盅 。

xiào yuán zhòng huā cǎo   dà jiā dōu lái zhòng
校 园 种 花 草 ， 大 家 都 来 种 。

zhòng wán zuò yóu xì   zhù yì bié luàn chōng
种 完 做 游 戏 ， 注 意 别 乱 冲 。

小熊来到小鹿家,教小鹿怎样_____树。小鹿很高兴,连忙给小熊倒了一_____茶,两人聊得很开心,差点忘了时间。小熊看了看时_____,发现已经很晚了,想到作业还没写完,赶紧往家_____去。

练一练

3 叮咛 dīng níng

丁

míng yuè wǎn fēng qīng，yì jiā xiǎng ān níng。
明月晚风轻，一家享安宁。

zhǎng bèi dīng níng yǔ，jì tuō yí piàn qíng。
长辈叮咛语，寄托一片情。

qián miàn yǒu měi jǐng，bié pà lù ní nìng。
前面有美景，别怕路泥泞。

jiān chí zuì bǎo guì，zuò kē bú xiù dīng。
坚持最宝贵，做颗不锈钉。

宁
叮
咛
泞
钉

练一练

　　在一个_____静的夜晚，小红在泥_____的道路上艰难地行走，耳边不时响起妈妈的_____ _____："无论多么困难，你一定要把这枚珍贵的铁_____送到目的地。"

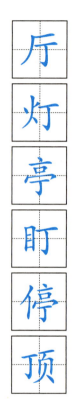

丁

斤

灯

亭

盯

停

顶

shǔ xīng xing
4 数星星

xiǎo líng ling　　xiǎo dīng ding
小 玲 玲 ， 小 丁 丁 ，

dà tīng wài miàn shǔ xīng xing
大 厅 外 面 数 星 星 。

tiān shàng xīng　　dì shàng dēng
天 上 星 ， 地 上 灯 ，

shì xīng shì dēng fēn bù qīng
是 星 是 灯 分 不 清 。

xiǎo líng ling　　xiǎo dīng ding
小 玲 玲 ， 小 丁 丁 ，

pǎo dào liáng tíng shǔ xīng xing
跑 到 凉 亭 数 星 星 。

dīng zhe shǔ　　shǔ bù qīng
盯 着 数 ， 数 不 清 ，

xīng xing bù tíng zhǎ yǎn jing
星 星 不 停 眨 眼 睛 。

xiǎo líng líng　　xiǎo dīng dīng
小 玲 玲 ， 小 丁 丁 ，

dēng shàng lóu dǐng shǔ xīng xing
登 上 楼 顶 数 星 星 。

shǒu lā gōu　　xià jué xīn
手 拉 钩 ， 下 决 心 ，

zhǎng dà shàng tiān qù shǔ qīng
长 大 上 天 去 数 清 。

练一练

　　小丁去西安华清池游玩，那里有著名的温泉，泉水发出叮叮咚咚的响声。山上到处是_____台楼阁，到了晚上还有闪烁的_____光，头_____上空满是亮晶晶的星星。人们_____着这夜空美景，不_____地赞叹：真美啊！

青

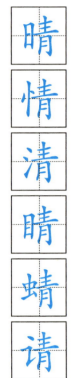

晴
情
清
晴
蜻
请

qīng　wā
5　青　蛙

tiān　qì　qíng　　hǎo　xīn　qíng
天 气 晴 ， 好 心 情 。

yú　ér　yóu　　hé　shuǐ　qīng
鱼 儿 游 ， 河 水 清 。

qīng　wā　tiào　　dà　yǎn　jing
青 蛙 跳 ， 大 眼 睛 。

lù　cǎo　dì　　hóng　qīng　tíng
绿 草 地 ， 红 蜻 蜓 。

qǐng　lái　wán　　wán　kāi　xīn
请 来 玩 ， 玩 开 心 。

　　青蛙在_____ _____的河水里游泳。_____蜓飞过来对它说："今天是个大_____天，我_____你到我家去玩吧。"青蛙呱呱地说："今天是个大_____天，我的心_____也很好，我很愿意去你家玩。"青蛙的大眼_____一眨，脚一蹬，上了岸。于是，两个小伙伴快乐地出发了。

练一练

字族儿歌

6 小画家 (xiǎo huà jiā)

马

蚂
骂
吗
妈

wǒ ài huà fēi mǎ， qí mǎ pǎo tiān xià。
我 爱 画 飞 马， 骑 马 跑 天 下 。

wǒ ài huà mǎ yǐ， mǎ yǐ huì bān jiā。
我 爱 画 蚂 蚁， 蚂 蚁 会 搬 家 。

wǒ ài huà xiǎo tù， yǒu ài bù chǎo mà。
我 爱 画 小 兔， 友 爱 不 吵 骂 。

wǒ ài huà yàn zi， chūn tiān hái lái ma？
我 爱 画 燕 子， 春 天 还 来 吗 ？

wǒ ài huà mā ma， yǎng wǒ ēn qíng dà。
我 爱 画 妈 妈， 养 我 恩 情 大 。

huà fú hǎo mā ma， yǒng yuǎn xīn shàng guà。
画 幅 好 妈 妈， 永 远 心 上 挂 。

练一练

_____ _____正在家里打扫卫生，看见了窗台上有几只_____蚁在吃面包屑，很生气，心想：吃面包要特别注意别掉面包屑，不然的话会招虫子，这个道理不是已经跟小马讲过好几次_____？她决定等小马回家后要重重地_____他一顿，好让小马吸取教训。

工

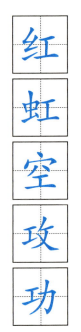

红
虹
空
攻
功

^{xiǎo mì fēng}

7 小蜜蜂

xiǎo mì fēng　　wēng wēng wēng
小 蜜 蜂 ， 嗡 嗡 嗡 ，

fēi dào xī　　fēi dào dōng
飞 到 西 ， 飞 到 东 。

dōng bian táo huā hóng
东 边 桃 花 红 ，

xī bian xiàn cǎi hóng
西 边 现 彩 虹 。

xiǎo mì fēng　　wēng wēng wēng
小 蜜 蜂 ， 嗡 嗡 嗡 ，

fēi tián yě　　fēi cháng kōng
飞 田 野 ， 飞 长 空 。

shuí yào qīn fàn tā
谁 要 侵 犯 它 ，

tā jiù dài cì gōng
它 就 带 刺 攻 。

xiǎo mì fēng　　wēng wēng wēng
小 蜜 蜂，嗡 嗡 嗡，

niàng fēng mì　　qín zuò gōng
酿 蜂 蜜，勤 做 工，

yì shēng ài láo dòng
一 生 爱 劳 动，

wèi rén lì dà gōng
为 人 立 大 **功**。

　　大雨过后，天边挂着一道彩_____。小蜜蜂"嗡嗡嗡"地在_____中飞来飞去，发现了一大片_____色的玫瑰花。它连忙回家告诉妈妈，妈妈夸奖它："今天你可立了大_____劳！"妈妈准备明天带着大伙儿，一起"围_____"那片玫瑰园，采更多的蜜回家。这样冬天就有更多的食物了。

练一练

良

8 　爹 娘
diē　niáng

粮
娘
郎
浪
狼

méi yǒu hǎo liáng zhǒng　　nǎ yǒu fēng shōu liáng
没 有 好 粮 种 ，哪 有 丰 收 粮 ？

méi yǒu diē niáng yǎng　　nǎ yǒu hǎo ér láng
没 有 爹 娘 养 ，哪 有 好 儿 郎 ？

gǎn yú xià jiāng hé　　bú pà fēng hé làng
敢 于 下 江 河 ，不 怕 风 和 浪 。

gǎn yú shàng gāo shān　　bú pà hǔ hé láng
敢 于 上 高 山 ，不 怕 虎 和 狼 。

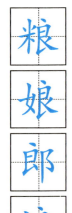

　　住在山里的李良非常富有，他家有强壮的家丁保护，不用担心山上的豺_____；他家中有充足的_____食，也不用担心吃不饱。李良对母亲说："_____，谢谢您养育我，我一定早点儿找个好姑_____，一起经营好我们的家。"

练一练

9 好爸爸
hǎo bà ba

巴

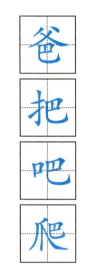

爸
把
吧
爬

bā jiā fù zì dú zuò bà
巴 加 父 字 读 作 爸，

wǒ yǒu yí gè hǎo bà ba
我 有 一 个 好 爸 爸。

bā jiā tí shǒu dú zuò bǎ
巴 加 提 手 读 作 把，

wǒ bǎ xiān huā xiàn mā ma
我 把 鲜 花 献 妈 妈。

bā jiā kǒu páng dú zuò bā
巴 加 口 旁 读 作 吧，

quán jiā dōu qù dēng shān ba
全 家 都 去 登 山 吧。

bā jiā zhǎo zì dú zuò pá
巴 加 爪 字 读 作 爬，

pá shàng shān dǐng kàn tiān xià
爬 上 山 顶 看 天 下。

练一练

吃过晚饭，小欢帮妈妈_____碗筷收拾好了。这时，_____ _____提议："明天，我们一起去_____明月山_____！"小欢高兴得跳了起来，说："太棒了。"

13

巴

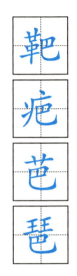

靶
疤
芭
琵

10 tán pí pa
弹琵琶

bā jiā gé zì dú zuò bǎ
巴 加 革 字 读 作 靶，

kàn shuí dǎ bǎ dǐng guā guā
看 谁 打 靶 顶 呱 呱。

bā jiā bìng páng dú zuò bā
巴 加 病 旁 读 作 疤，

shāng hǎo bú yào wàng le bā
伤 好 不 要 忘 了 疤。

bā jiā cǎo tóu dú zuò bā
巴 加 草 头 读 作 芭，

bā lěi wǔ jù yáng tiān xià
芭 蕾 舞 剧 扬 天 下。

bā jiā shuāng wáng dú zuò pá
巴 加 双 王 读 作 琵，

tán qǔ pí pa mò lì huā
弹 曲 琵 琶 茉 莉 花。

练一练

暑假，少年宫里的活动很丰富，有跳＿＿＿＿蕾舞的，有弹琵＿＿＿＿的，还有射箭打＿＿＿＿的……花花很想去跳舞，但是她前段时间把脚扭伤了，妈妈对她说："你可别好了伤＿＿＿＿忘了痛，这段时间不能跳舞了！"

14

11 自己管自己
zì jǐ guǎn zì jǐ

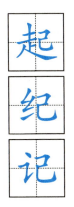

自己管自己，
zì jǐ guǎn zì jǐ

学会穿衣早早起。
xué huì chuān yī zǎo zǎo qǐ

高高兴兴上学去，
gāo gāo xìng xìng shàng xué qù

不怕日晒和风雨。
bú pà rì shài hé fēng yǔ

自己管自己，
zì jǐ guǎn zì jǐ

小小年纪懂道理。
xiǎo xiǎo nián jì dǒng dào lǐ

一寸光阴一寸金，
yí cùn guāng yīn yí cùn jīn

老师教导记心里。
lǎo shī jiào dǎo jì xīn lǐ

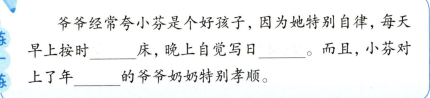

练一练

爷爷经常夸小芬是个好孩子，因为她特别自律，每天早上按时_____床，晚上自觉写日_____。而且，小芬对上了年_____的爷爷奶奶特别孝顺。

争

12 放风筝 (fàng fēng zheng)

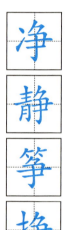

净
静
筝
挣
睁

chūn tiān tiān míng jìng， shù jìng hé fēng qīng。
春 天 天 明 净， 树 静 和 风 轻 。

qīng qīng fāng cǎo dì， zuì yí fàng fēng zheng。
青 青 芳 草 地， 最 宜 放 风 筝 。

rén men zhēng zhe pǎo， fēng zheng wǎng tiān shēng。
人 们 争 着 跑， 风 筝 往 天 升 。

shàng xià hū piāo yáo， zhēng zhá jiè fēng pīn。
上 下 忽 飘 摇， 挣 扎 借 风 拼 。

xiǎo xiǎo de fēng zheng， qiān dòng zhòng rén xīn。
小 小 的 风 筝， 牵 动 众 人 心 。

zhēng mù wàng tiān kōng， mǎn yǎn dōu shì chūn。
睁 目 望 天 空， 满 眼 都 是 春 。

小明和妹妹都想去放风_____，可是家里只有一只。他们两人都想要，竟然为此吵了起来。妈妈说："安_____！谁都别要了！"他们只好眼_____ _____地看着妈妈把风_____拿走了。小明_____脱妈妈的手，边往外跑边说："等零花钱凑足了，我自己买。"

练一练

13 绿满枝 lǜ mǎn zhī

支

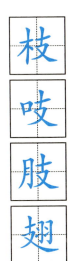

枝
吱
肢
翅

zhī tiáo yì tiáo tiáo
枝 条 一 条 条 ，

chūn tiān lǜ mǎn zhī
春 天 绿 满 枝 。

fēi lái xiǎo xiǎo niǎo
飞 来 小 小 鸟 ，

zhī tóu jiào zī zī
枝 头 叫 吱 吱 。

zhǎn zhī tǐ pāi shuāng chì
展 肢 体 ， 拍 双 翅 ，

fēi xiàng lán tiān qù yín shī
飞 向 蓝 天 去 吟 诗 。

练一练

  一只喜鹊扇动着_____膀飞到我家门前的树上，_____地叫着，好像很伤心。爷爷心疼地把喜鹊捧下来，原来它受了伤。我和爷爷细心地给它包扎好，然后把它放回树_____上。

斤

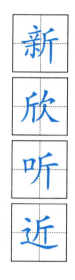

新
欣
听
近

14 尝 尝 新
cháng chang xīn

nǐ yì jīn　wǒ yì jīn
你一斤，我一斤，

mǎi jīn yīng tao cháng chang xīn
买斤樱桃尝尝新。

sān yuè xiǎo jiē hóng sì hǎi
三月小街红似海，

xīn xīn xiàng róng qì xiàng xīn
欣欣向荣气象新。

nǐ yì jīn　wǒ yì jīn
你一斤，我一斤，

mǎi jīn huáng lí cháng chang xīn
买斤黄梨尝尝新。

guǒ zhī tián tián sǎng yīn rùn
果汁甜甜嗓音润，

chàng shǒu ér gē zhòng rén tīng
唱首儿歌众人听。

nǐ yì jīn wǒ yì jīn
你 一 斤 ， 我 一 斤 ，

mǎi jīn jú zi cháng chang xīn
买 斤 橘 子 尝 尝 新 。

rén jìn shū běn biàn cōng míng
人 近 书 本 变 聪 明 ，

niǎo jìn shù lín yǒu zhī yīn
鸟 近 树 林 有 知 音 。

眼 扫码获取
· 看 视 频
· 听 儿 歌
· 笔 顺 动 画
· 拓 展 学 习

练一练

　　我们班上来了一位_____同学，_____说是一个多才多艺的女孩。我特别_____赏这样的人。很巧的是，她家就在我家附_____，相信我们会成为好朋友。

也

池
地
他
她
驰

15 水池 shuǐ chí

用也来拼字，拼字真有趣。
yòng yě lái pīn zì, pīn zì zhēn yǒu qù

引水水满池，鱼在水中戏。
yǐn shuǐ shuǐ mǎn chí, yú zài shuǐ zhōng xì

换土变作地，青青芳草地。
huàn tǔ biàn zuò dì, qīng qīng fāng cǎo dì

人旁他指男，女旁她指女。
rén páng tā zhǐ nán, nǚ páng tā zhǐ nǚ

骑马马奔驰，一日行千里。
qí mǎ mǎ bēn chí, yí rì xíng qiān lǐ

_____塘旁边有一大片青青的草_____，马儿在这里自由奔_____。奶奶在挖野菜，不一会儿_____就挖了一筐。小明一边追着蝴蝶，一边放声歌唱，_____玩得可开心了。

练一练

16

bá luó bo
拔萝卜

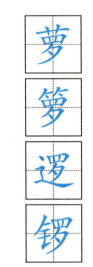

罗

萝

箩

逻

锣

chéng wài wān wān yì tiáo hé
城 外 弯 弯 一 条 河 ，

luó jiā bà shàng cài dì duō
罗 家 坝 上 菜 地 多 。

dà tù xiǎo tù bá luó bo
大 兔 小 兔 拔 萝 卜 ，

zhuāng mǎn yì luó yòu yì luó
装 满 一 箩 又 一 箩 。

hóng mǎ bái mǎ kāi kǎ chē
红 马 白 马 开 卡 车 ，

hēi māo jǐng zhǎng máng xún luó
黑 猫 警 长 忙 巡 逻 。

xiǎo gǒu xiǎo yáng lái qìng hè
小 狗 小 羊 来 庆 贺 ，

yòu dǎ gǔ lái yòu qiāo luó
又 打 鼓 来 又 敲 锣 。

练
一
练

　　我和妈妈一起去菜园里拔_____卜，不一会儿，就装
满了一_____筐。爷爷敲着_____在菜园四周巡_____，
赶走了野猪后，来到菜园一起帮忙。

趣读识写一条龙

果

课
棵
颗
裹

17 看谁得奖多
kàn shuí dé jiǎng duō

zuì xiǎng dào zhōu mò，fù xí wán gōng kè。
最 想 到 周 末，复 习 完 功 课。

yì kē róng shù xià，dà jiā pái pái zuò。
一 棵 榕 树 下，大 家 排 排 坐。

táng guǒ còu yì duī，kē kē cǎi zhǐ guǒ。
糖 果 凑 一 堆，颗 颗 彩 纸 裹。

nǐ yì kē，wǒ yì kē。
你 一 颗，我 一 颗。

cāi mí yǔ，bèi ér gē。
猜 谜 语，背 儿 歌。

jiǎng pǐn shì táng guǒ，kàn shuí dé jiǎng duō。
奖 品 是 糖 果，看 谁 得 奖 多。

门前一＿＿＿苹果树，果实结了一＿＿＿ ＿＿＿。
娃娃下＿＿＿正路过，摘下一个大苹果；闻一闻，香又香，
赶紧拿纸包＿＿＿着，带回家给妈妈尝。

练一练

22

18 我的歌
wǒ de gē

wǒ shì guāi guāi nǚ				míng zi jiào xiǎo é
我 是 乖 乖 女 ，				名 字 叫 小 娥 。

我
娥
峨
鹅
饿
蛾
哦

wǒ shì guāi guāi nǚ，míng zi jiào xiǎo é
我 是 乖 乖 女 ，名 字 叫 小 娥 。

wǒ zhù shān páng biān，gāo shān duō wēi é
我 住 山 旁 边 ，高 山 多 巍 峨 。

wǒ yǔ niǎo zuò bàn，zuì ài bái tiān é
我 与 鸟 做 伴 ，最 爱 白 天 鹅 。

wǒ gěi niǎo wèi shí，niǎo ér bù jī è
我 给 鸟 喂 食 ，鸟 儿 不 饥 饿 。

wǒ ài zhuō hài chóng，tián jiān pū fēi é
我 爱 捉 害 虫 ，田 间 扑 飞 蛾 。

wǒ xǐ dú táng shī，kǒu biān cháng yín é
我 喜 读 唐 诗 ，口 边 常 吟 哦 。

练一练

　　我有一个好朋友。她看起书来，顾不上吃饭，忘记了饥_____。她也很喜欢登山，经常被巍_____雄伟的高山震撼。她还是个爱跳芭蕾的女孩，跳起舞来就像一只美丽的白天_____。但她最喜欢做的事要数观察小动物，她常会悄悄地观察青蛙怎么捕捉飞_____呢！

19 山 冈
shān gāng

岗 刚 钢 纲

shān jǐ shān liáng　jiào zuò shān gāng
山 脊 山 梁 ， 叫 作 山 冈 。

shǒu wèi biān fáng　fàng shào zhàn gǎng
守 卫 边 防 ， 放 哨 站 岗 。

yì zhì gāng qiáng　bǎi liàn chéng gāng
意 志 刚 强 ， 百 炼 成 钢 。

shuō huà zuò wén　xiān xiě tí gāng
说 话 作 文 ， 先 写 提 纲 。

练一练

　　小兰的爸爸是一位_____铁工人。_____好，公司搞了个"家庭日"开放活动，小兰去参观了爸爸的公司。在雄伟的大门口，连站_____的保安叔叔都那么神气。公司的领导接待了小朋友们，亲切地介绍公司的发展_____领，参观后还举行了很多有趣的竞赛小活动。

20 下河
xià hé

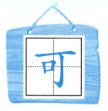

可

弯弯一条河，流经门前过。
wān wān yì tiáo hé liú jīng mén qián guò

哥哥和姐姐，河边唱儿歌。
gē ge hé jiě jie hé biān chàng ér gē

荷花笑红脸，歌声飘满河。
hé huā xiào hóng liǎn gē shēng piāo mǎn hé

人们来游泳，个个乐呵呵。
rén men lái yóu yǒng gè gè lè hē hē

何时我长大，下河荡清波？
hé shí wǒ zhǎng dà xià hé dàng qīng bō

河
哥
歌
荷
呵
何

练一练

　　我的老家在崇明岛，门前有一条小_____，每到夏天河里就会开满粉色的_____花，特别美！我们有时会快乐地哼_____，有时会情不自禁地吟唱：江南可采莲，莲叶_____田田……爷爷会在家里乐_____ _____地为我们准备好多美味的食物。

zhào
兆

眺
桃
跳
挑
逃

21 小猴偷桃
xiǎo hóu tōu táo

yì qún xiǎo hóu　shān shàng yuǎn tiào
一 群 小 猴 ， 山 上 远 眺 。

wàng jiàn táo yuán　xià shān tōu táo
望 见 桃 园 ， 下 山 偷 桃 。

tiào shàng tiào xià　mǎn shù luàn yáo
跳 上 跳 下 ， 满 树 乱 摇 。

dōng tiāo xī xuǎn　biān zhāi biān diào
东 挑 西 选 ， 边 摘 边 掉 。

hū tīng luó xiǎng　sì chù bēn táo
忽 听 锣 响 ， 四 处 奔 逃 。

　　警察正在吃_____子，小偷趁机_____跑了。警局顿时乱阵脚，跑上楼顶去_____望。看清小偷的方向，忙_____精兵去撒网。小偷这回_____不掉，警察乐得呵呵笑。

练一练

26

22 外婆来看我
wài pó lái kàn wǒ

皮

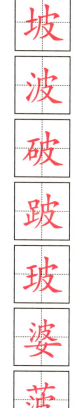

坡
波
破
跛
玻
婆
菠

ní tǔ duī chéng pō hé shuǐ bō lián bō
泥土堆成坡，河水波连波。

shí zǐ cā pò pí bǒ zú yě pá pō
石子擦破皮，跛足也爬坡。

bō li chuāng qián wàng xī yáng rǎn shān hé
玻璃窗前望，夕阳染山河。

wài pó lái kàn wǒ shāo lái tián bō luó
外婆来看我，捎来甜菠萝。

练一练

　　青青和外_____去菜市场买_____菜，走到上_____的地方，青青不小心摔了一跤，手被地上的_____璃扎出了血，胳膊也蹭_____了皮，但她忍着疼痛自己站了起来。外_____夸她是个坚强的好孩子。

27

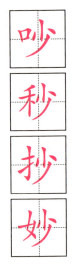

少

吵

秒

抄

妙

23 别吵，小花猫
bié chǎo xiǎo huā māo

别 吵，别 吵，小 花 猫，
bié chǎo bié chǎo xiǎo huā māo

让 我 爸 爸 睡 好 觉。
ràng wǒ bà ba shuì hǎo jiào

白 天 忙 碌 争 分 秒，
bái tiān máng lù zhēng fēn miǎo

这 儿 夜 里 静 悄 悄。
zhè ér yè lǐ jìng qiāo qiāo

别 吵，别 吵，小 花 猫，
bié chǎo bié chǎo xiǎo huā māo

妈 妈 备 课 多 辛 劳。
mā ma bèi kè duō xīn láo

抄 抄 写 写 不 停 笔，
chāo chao xiě xie bù tíng bǐ

这 儿 夜 里 静 悄 悄。
zhè ér yè lǐ jìng qiāo qiāo

字族儿歌

bié chǎo　bié chǎo　xiǎo huā māo
别吵，别吵，小花猫，

wǒ huà fēi chuán shàng yún xiāo
我画飞船上云霄。

xīng guāng càn làn duō měi miào
星光灿烂多美妙，

zhè ér yè lǐ jìng qiāo qiāo
这儿夜里静悄悄。

　　一位少年正在争分夺＿＿＿地＿＿＿写优美的文章，不管旁边有多＿＿＿闹，都没有影响到他。这真是一种美＿＿＿的境界。

练一练

由

抽
油
袖
柚

tián yòu
24 甜 柚

gǔn gǔn cháng jiāng shuǐ　　yóu xī xiàng dōng liú
滚 滚 长 江 水 ，由 西 向 东 流 。

chōu shuǐ jiāo guǒ yuán　　guǒ shù lǜ yóu yóu
抽 水 浇 果 园 ，果 树 绿 油 油 。

qiū gāo tài yáng zhào　　guǒ xiāng rǎn yī xiù
秋 高 太 阳 照 ，果 香 染 衣 袖 。

mì fēng wēng wēng chàng　　tián yòu guà zhī tóu
蜜 蜂 嗡 嗡 唱 ，甜 柚 挂 枝 头 。

练一练

　　兔妈妈在绿＿＿＿ ＿＿＿的园子里种了一棵＿＿＿子树。小兔每天都辛勤地＿＿＿水浇灌它，衣＿＿＿弄湿了也不怕。兔妈妈直夸小兔是个好孩子！

25　家乡好地方
jiā xiāng hǎo dì fang

方

我 的 家 乡 ，美 好 地 方 。
wǒ de jiā xiāng　měi hǎo dì fang

座 座 新 房 ，田 园 风 光 。
zuò zuò xīn fáng　tián yuán fēng guāng

鲜 花 开 放 ，果 木 芳 香 。
xiān huā kāi fàng　guǒ mù fāng xiāng

相 互 走 访 ，亲 切 交 往 。
xiāng hù zǒu fǎng　qīn qiè jiāo wǎng

防 灾 抗 灾 ，团 结 相 帮 。
fáng zāi kàng zāi　tuán jié xiāng bāng

房
放
芳
访
防

练一练

　　赛跑输了的小兔子，提着一篮水果去拜_____乌龟大哥。小兔子走过_____草地，来到乌龟的_____子前，看到_____盗门锁着，知道乌龟大哥不在家，就把水果_____在门口离开了。

31

26 上学校
shàng xué xiào

交

郊

校

跤

咬

效

较

饺

城 郊 苏 小 小 ，早 早 上 学 校 。
chéng jiāo sū xiǎo xiao　zǎo zǎo shàng xué xiào

路 滑 跌 一 跤 ，爬 起 笑 一 笑 。
lù huá diē yì jiāo　pá qǐ xiào yi xiào

用 手 揉 揉 腿 ，咬 牙 又 小 跑 。
yòng shǒu róu rou tuǐ　yǎo yá yòu xiǎo pǎo

读 书 动 脑 子 ，学 习 效 果 好 。
dú shū dòng nǎo zi　xué xí xiào guǒ hǎo

赛 跑 敢 较 量 ，梦 里 笑 醒 了 。
sài pǎo gǎn jiào liàng　mèng lǐ xiào xǐng le

在 家 爱 做 事 ，学 会 包 菜 饺 。
zài jiā ài zuò shì　xué huì bāo cài jiǎo

中午，强强吃完_____子后，来到_____外。他想跟同学们_____量一下，看谁跑得最快。他不小心摔了一_____，但还是_____ _____牙爬起来继续跑。_____长知道后，表扬强强是个勇敢的孩子。

练一练

字族儿歌

27 同伴 (tóng bàn)

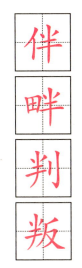

半

伴 畔 判 叛

你一半，我一半，
（nǐ yí bàn，wǒ yí bàn，）

同学友爱好同伴。
（tóng xué yǒu ài hǎo tóng bàn。）

船一半，水一半，
（chuán yí bàn，shuǐ yí bàn，）

船行千里靠河畔。
（chuán xíng qiān lǐ kào hé pàn。）

看一半，听一半，
（kàn yí bàn，tīng yí bàn，）

公正无欺做评判。
（gōng zhèng wú qī zuò píng pàn。）

国一半，民一半，
（guó yí bàn，mín yí bàn，）

爱国为民不背叛。
（ài guó wèi mín bú bèi pàn。）

练一练

光头强假装和熊大、熊二结成好伙_____，答应不再砍树。可是，熊大、熊二在树林的河_____散步时，发现光头强背_____了自己的诺言，又去偷偷地砍树了。他们_____定光头强绝对不是自己的好伙_____。

33

kàng

亢

杭
坑
抗
炕
航

háng tiān dēng yuè
28 航天登月

yí gè kàng zì　gē shēng gāo kàng
一个亢字，歌声高亢。

háng zhōu xī hú　měi jǐng nán wàng
杭州西湖，美景难忘。

wā kēng zhí shù　nǐ máng wǒ máng
挖坑植树，你忙我忙。

kàng hóng kàng hàn　fèn zhàn zì qiáng
抗洪抗旱，奋战自强。

huǒ shāo rè kàng　huà hua jiā cháng
火烧热炕，话话家常。

háng tiān dēng yuè　tài kōng fēi xiáng
航天登月，太空飞翔。

　　一只顽皮的猴子，在土_____上一边蹦蹦跳跳，一边高_____地唱着歌，结果把破旧的土_____蹦出了一个_____。为了躲避主人的责罚，它竟然乘坐_____班飞到了_____州。

练一练

29 希 望
xī wàng

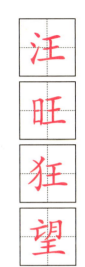

女 姓 王 , 男 姓 张 ,
nǚ xìng wáng nán xìng zhāng

不 同 姓 , 是 老 乡 。
bù tóng xìng shì lǎo xiāng

老 乡 见 老 乡 ,
lǎo xiāng jiàn lǎo xiāng

两 眼 泪 汪 汪 。
liǎng yǎn lèi wāng wāng

一 生 都 勤 奋 ,
yì shēng dōu qín fèn

来 日 会 兴 旺 。
lái rì huì xīng wàng

不 怕 风 雨 狂 ,
bú pà fēng yǔ kuáng

希 望 在 前 方 。
xī wàng zài qián fāng

练一练

在一片草木_____盛的森林里,_____妄自大的狐狸又遇上了老虎。它还希_____像上次那样欺骗老虎。谁知,一只小狗_____ _____地叫了起来,老虎识破了狐狸的诡计,一口吞掉了狐狸。

主

注
柱
住
蛀

30 学习当主人
xué xí dāng zhǔ rén

xué xí dāng zhǔ rén　　shàng kè zhù yì tīng
学习当主人，上课注意听。

qiáng zhù bú luàn huà　　yǎng chéng hǎo pǐn xíng
墙柱不乱画，养成好品行。

zhù fáng jiǎng wèi shēng　　zhù chóng qīng chú jìn
住房讲卫生，蛀虫清除尽。

xué xiào hé jiā tíng　　bǎo chí hǎo huán jìng
学校和家庭，保持好环境。

_____在城里的乐乐，因为吃糖太多而长了_____牙。爸爸就在墙_____上贴了一则温馨提示：请_____意，为了牙齿的健康，要少吃糖！

练一练

36

31 娃娃本领大

guī
圭

娃 娃 本 领 大 ， 最 会 玩 戏 法 。

去 掉 女 字 旁 ， 换 木 开 桂 花 。

又 换 提 手 旁 ， 用 手 把 衣 挂 。

再 换 虫 字 旁 ， 跳 出 一 只 蛙 。

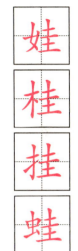
娃
桂
挂
蛙

练一练

一个抱着布_____ _____的小女孩来到稻田边，把_____花送给正在稻田捉害虫的青_____，说："这芬芳扑鼻的花儿是我从远处的树林里摘来的，你把它_____在脖子上，整个稻田都会充满香味。"

32 口令 kǒu lìng

令

领
岭
铃
龄

cāo chǎng hǎn kǒu lìng　　dùi wu duō qí zhěng
操 场 喊 口 令 ，队 伍 多 齐 整 。

dà gē dà jiě jie　　jiāo yóu chū xiào mén
大 哥 大 姐 姐 ，郊 游 出 校 门 。

lǎo shī lǐng tóu zǒu　　dùi wu suí hòu xíng
老 师 领 头 走 ，队 伍 随 后 行 。

hóng qí piāo shān lǐng　　gē shēng xiàng yín líng
红 旗 飘 山 岭 ，歌 声 像 银 铃 。

yí lù jìn huān xiào　　dōu shì tóng líng rén
一 路 尽 欢 笑 ，都 是 同 龄 人 。

ān quán fǎn xiào yuán　　gè gè xiào yíng yíng
安 全 返 校 园 ，个 个 笑 盈 盈 。

　　一只系着_____铛的黑狗，虽然年_____不大，但是带_____着一群同伴翻山越_____，逃脱了猎人的追捕。

练一练

33 编花篮
biān huā lán

扁

遍 匾 编

biǎn dan shǎn shǎn　xiǎo hé wān wān
扁 担 闪 闪 ，小 河 弯 弯 。

táo hóng biàn yě　liǔ lù hán yān
桃 红 遍 野 ，柳 绿 含 烟 。

jiě zhì jīn biǎn　jīn guāng càn càn
姐 制 金 匾 ，金 光 灿 灿 。

mèi biān huā lán　mǎn lán huā xiān
妹 编 花 篮 ，满 篮 花 鲜 。

练一练

　　小英一家很勤劳。你瞧！爸爸正挑着_____担在花田里劳动，姐姐在家里_____着花篮，妈妈则一心一意地制作着金_____，小英正在山上采着鲜嫩的樱桃。一身粉红的小英站在漫山_____野的花丛中，多么漂亮啊！

扁

篇
翻
骗
偏

dú táng shī，sān bǎi piān
读唐诗，三百篇。

kàn bā lěi，wǔ piān piān
看芭蕾，舞翩翩。

xué zuò rén，bù qī piàn
学做人，不欺骗。

gēn zi zhèng，shù bù piān
根子正，树不偏。

小明、小亿和小红三个人是好朋友。小明是个内向、好学的男孩，读了许多古文名_____；小红是个活泼、爱跳舞的女孩，常跟着音乐_____ _____起舞；小亿是个诚实的男孩，从来不_____人。

练一练

35 好习惯
hǎo xí guàn

曼

xiǎo tián hé xiǎo màn　　yǎng chéng hǎo xí guàn
小 田 和 小 曼 ， 养 成 好 习 惯 。

shàng xué hěn shǒu shí　　cóng lái bù sǎn màn
上 学 很 守 时 ， 从 来 不 散 漫 。

chī fàn bù piān shí　　mán tou yě xiāng tián
吃 饭 不 偏 食 ， 馒 头 也 香 甜 。

wú yè xiǎo qīng nián　　màn mà zhāo rén yuàn
无 业 小 青 年 ， 谩 骂 招 人 怨 。

tā men qù xiāng quàn　　bù jí yòu bú màn
他 们 去 相 劝 ， 不 急 又 不 慢 。

tài dù hěn zhēn chéng　　dà jiā dōu chēng zàn
态 度 很 真 诚 ， 大 家 都 称 赞 。

漫
馒
谩
慢

练一练

　　花花和红红是好朋友，一个＿＿＿＿头分着吃，一本＿＿＿＿画书合着看。但是她们一个是急性子，一个是＿＿＿＿性子，有时意见不合，甚至＿＿＿＿骂几句。经过老师教导后，她们学会了相互包容，再也不吵架了。

41

平

píng ān
36 平 安

苹

萍

坪

怦

抨

评

gāo shān gāo píng chuān píng
高 山 高 ， 平 川 平 。

duō zhòng píng guǒ shù liú yǔ hòu lái rén
多 种 苹 果 树 ， 留 与 后 来 人 。

hóng fú píng lù cǎo píng
红 浮 萍 ， 绿 草 坪 ，

pēng rán xīn dòng yù gù rén
怦 然 心 动 遇 故 人 。

zhù fú hǎo rén dōu píng ān
祝 福 好 人 都 平 安 ，

pēng jī huài rén chéng è xíng
抨 击 坏 人 惩 恶 行 。

duō shǎo bēi huān shì zì yǒu hòu rén píng
多 少 悲 欢 事 ， 自 有 后 人 评 。

　　春天，我们在草_____上做游戏，吃_____果。有的小朋友吃完就将果核随地乱扔，被老师批_____了。老师说："这么美好的环境，我们可一定要爱护啊！"

练一练

37 公园 gōng yuán

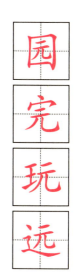

元

园 完 玩 远

dòu dou hé yuán yuan
豆 豆 和 元 元 ，

yì qǐ dào gōng yuán
一 起 到 公 园 。

kāi wán pèng peng chē
开 完 碰 碰 车 ，

yòu zuò fēi chuán wán
又 坐 飞 船 玩 。

fēi gāo kàn de yuǎn
飞 高 看 得 远 ，

tiān biān luò rì yuán
天 边 落 日 圆 。

练一练

　　星期天，小美坐公交车去公＿＿＿＿＿里游＿＿＿＿＿。她一下车，＿＿＿＿＿ ＿＿＿＿＿地看见门口摆放着一盆盆五颜六色的花，漂亮极了。走进一看，有的人在开碰碰车，有的人在坐飞船，有的人在射击……她＿＿＿＿＿全被里面的景象吸引住了。

38 笑容 (xiào róng)

容
榕
蓉
熔

rén féng yǒu xǐ shì　　liǎn shàng lù xiào róng
人 逢 有 喜 事 ，脸 上 露 笑 容 。

róng shù zhī yè mào　　cháng nián lù sè nóng
榕 树 枝 叶 茂 ，常 年 绿 色 浓 。

chí zhōng hé huā kāi　　qīng shuǐ chū fú róng
池 中 荷 花 开 ，清 水 出 芙 蓉 。

róng lú liàn gāng tiě　　lú zhōng huǒ xióng xióng
熔 炉 炼 钢 铁 ，炉 中 火 熊 熊 。

秋天到了，芙_____花开了，可是天气并没有转凉，仍然热得像个大_____炉，人们不得不来到_____树下躲避烈日。

练一练

44

39 蜜蜂变身法
mì fēng biàn shēn fǎ

fēng
夆*

可爱小蜜蜂，喜欢孙悟空。
kě ài xiǎo mì fēng， xǐ huan sūn wù kōng

学习变身法，练成一身功。
xué xí biàn shēn fǎ， liàn chéng yì shēn gōng

去掉虫字旁，换山变山峰。
qù diào chóng zì páng， huàn shān biàn shān fēng

再换火字旁，烽火亮天空。
zài huàn huǒ zì páng， fēng huǒ liàng tiān kōng

变成走之底，朋友喜相逢。
biàn chéng zǒu zhī dǐ， péng you xǐ xiāng féng

立即换金旁，战士打冲锋。
lì jí huàn jīn páng， zhàn shì dǎ chōng fēng

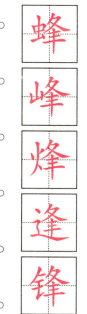

蜂
峰
烽
逢
锋

练一练

在我们美丽的家园里，可爱的小蜜_____飞来飞去，到处一片生机勃勃的景象。而有些国家常年战争，_____火连天，可怕的战争让人们妻离子散，从此不能相_____。所以，我在心里许下一个愿望：希望我们的世界永远和平！

*此字为古文字，标注的为古音，注音参见《汉字源流字典》。

shàng
尚

40 美丽的校园
měi lì de xiào yuán

敞
堂
躺
常
赏
掌

wǒ men de xiào yuán　měi lì yòu kuān chang
我们的校园，美丽又宽敞。

wǒ men de kè táng　shū shì yòu míng liàng
我们的课堂，舒适又明亮。

chí zhōng hé huā kāi　lù zhū yè shàng tǎng
池中荷花开，露珠叶上躺。

shuǐ zhōng yú ér yóu　wǒ men cháng guān shǎng
水中鱼儿游，我们常观赏。

xiào yuán lián huān huì　biǎo yǎn xīn fēng shàng
校园联欢会，表演新风尚。

jié mù zhēn jīng cǎi　dà jiā qí gǔ zhǎng
节目真精彩，大家齐鼓掌。

练一练

　　我们的教室明亮又宽_____，课_____上，大家对积极举手发言的同学鼓_____表扬。课间，我们经_____跑到绿草地上，仰面_____下，感受吹过的微风，欣_____旁边的美景，别提多舒服啦！

41 邻居小弟弟
lín jū xiǎo dì di

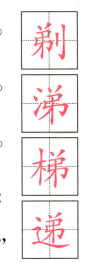

弟
剃
涕
梯
递

lín jū xiǎo dì di　　cōng míng yòu táo qì
邻居小弟弟，聪明又淘气。

tì gè guāng guāng tóu　　liǎn shàng guà bí tì
剃个光光头，脸上挂鼻涕。

ná pén dāng luó qiāo　　yàng zi hěn shén qì
拿盆当锣敲，样子很神气。

pǎo bù shàng lóu tī　　chuán dì xīn xìn xī
跑步上楼梯，传递新信息：

jīn yè yǒu bào yǔ　　gè jiā qǐng zhù yì
"今夜有暴雨，各家请注意！"

练一练

公园里坐着一个小弟弟，_____了个板寸头，看起来很不开心，鼻_____眼泪都挂在脸上。这时，他姐姐走过来，_____给他一块糖果，说："我们去玩滑滑_____吧！"听了姐姐的话，他才破_____为笑。

47

mò lì huā
42 茉莉花

nóng jiā gū niang　shǒu jiǎo má li
农 家 姑 娘 ， 手 脚 麻 利 。

qiǎng zhàn tiān shí　gēng tián lí dì
抢 占 天 时 ， 耕 田 犁 地 。

zhuāng jia shú le　mó dāo fēng lì
庄 稼 熟 了 ， 磨 刀 锋 利 。

guǒ zi shú le　shōu huò tián lí
果 子 熟 了 ， 收 获 甜 梨 。

huā ér kāi le　mǎn yuán mò lì
花 儿 开 了 ， 满 园 茉 莉 。

mài huā mài lí　kǒu chǐ líng lì
卖 花 卖 梨 ， 口 齿 伶 俐 。

练一练

　　小丽是个朴实的农家姑娘，不仅聪明伶_____，而且特别勤劳。春天，她抢着去耕田_____地。秋天，庄稼熟了，她拿着锋_____的镰刀去割稻子。她家的果树挂上了沉甸甸的大_____，家里来了客人，她会洗干净递上一个给客人品尝。

43 chūn tiān hǎo zhí shù
春天好植树

丑	
锄	
阻	
组	
助	
粗	
祖	

chūn tiān hǎo zhí shù　　dà jiā káng shàng chú
春 天 好 植 树 ， 大 家 扛 上 锄 。

lǜ huà huāng shān lǐng　　bú pà lù xiǎn zǔ
绿 化 荒 山 岭 ， 不 怕 路 险 阻 。

liǎng rén wéi yì zǔ　　hù xiāng lái bāng zhù
两 人 为 一 组 ， 互 相 来 帮 助 。

wā kēng jiāo shuǐ máng　　nǎ pà shǒu mó cū
挖 坑 浇 水 忙 ， 哪 怕 手 磨 粗 。

yì rén sān wǔ kē　　zhòng rén qiān wàn zhū
一 人 三 五 棵 ， 众 人 千 万 株 。

zǔ guó shān hé xiù　　xīn tóu rè hū hū
祖 国 山 河 秀 ， 心 头 热 乎 乎 。

练一练

　　学校_____织同学们去公园义务劳动。同学们在大人们的帮_____下，给小树_____草、浇水、施肥。大家希望小树快快长大，长得又_____又壮。

44 下棋乐
xià qí lè

其
期
棋
基
欺
旗

安安和晶晶，假期下军棋。
ān an hé jīng jing，jià qī xià jūn qí

安安七岁多，晶晶年十一。
ān an qī suì duō，jīng jing nián shí yī

一个基础好，一个好下棋。
yí gè jī chǔ hǎo，yí gè hào xià qí

方方当裁判，公正不相欺。
fāng fang dāng cái pàn，gōng zhèng bù xiāng qī

别看安安小，调兵会用计。
bié kàn ān an xiǎo，diào bīng huì yòng jì

往来几回合，巧妙夺军旗。
wǎng lái jǐ huí hé，qiǎo miào duó jūn qí

　　假_____到了，乐乐和笑笑相约一起下_____。一局下来，笑笑输了，说："乐乐_____负我，把我的军_____吃掉了。"妈妈说："你_____础不扎实，还得多向乐乐学习呢。"

练一练

zhǎng jiàn wén
45 长见闻

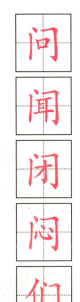

门
问
闻
闭
闷
们

shàng mén kāi kǒu wèn　ěr tīng zhǎng jiàn wén
上 门 开 口 问，耳 听 长 见 闻。

bì mén xīn fán mèn　chū mén sàn san xīn
闭 门 心 烦 闷，出 门 散 散 心。

mén páng rén zhàn lì　men zì biǎo yì qún
门 旁 人 站 立，们 字 表 一 群。

xià wǔ bá hé sài　nǐ men hé wǒ men
下 午 拔 河 赛，你 们 和 我 们。

练一练

　　晚上，快要下雨了，屋子里很_____热，我把窗户打开透透气。电视里开始播新_____，我一边看一边不停地提_____，妈妈耐心地一个一个解答。我_____是快乐的一家人！

直

^{zhí} ^{rì}
46 值 日

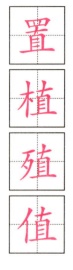

置
植
殖
值

shuō huà zhí shuài　　zuò rén zhèng zhí
说 话 直 率 ， 做 人 正 直 。

xué xí wén jù　　tuǒ shàn fàng zhì
学 习 文 具 ， 妥 善 放 置 。

huā cǎo shù mù　　yòng xīn zhòng zhí
花 草 树 木 ， 用 心 种 植 。

jī yā é tù　　sì yǎng fán zhí
鸡 鸭 鹅 兔 ， 饲 养 繁 殖 。

jīn tiān bān lǐ　　wǒ lái zhí rì
今 天 班 里 ， 我 来 值 日 ，

rè xīn fú wù　　tā tā shí shí
热 心 服 务 ， 踏 踏 实 实 。

练一练

今天我_____日。放学后，我打扫卫生，布_____教室，给_____物浇水，把小花盆放_____在窗台上。我们得到了卫生红旗，真开心！

47 小灯笼
xiǎo dēng long

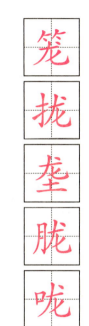

龙

笼 拢 垄 胧 咙

yíng huǒ chóng　dǎ dēng long
萤火虫，打灯笼，

yì shǎn yí liàng xiǎo dēng long
一闪一亮小灯笼。

yòu fēn kāi　yòu hé lǒng
又分开，又合拢，

fēi guò tián lǒng fēi cǎo cóng
飞过田垄飞草丛。

yuè méng lóng　shān méng lóng
月朦胧，山朦胧，

qīng wā chàng gē dà hóu lóng
青蛙唱歌大喉咙。

练一练

　　新年晚上月朦_____，小朋友们提灯_____，扯着喉_____齐欢唱，嘴巴乐得合不_____。

53

48 采桑

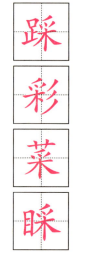

nóng jiā xiǎo gū niang， cǎi sāng chū cūn wài
农 家 小 姑 娘， 采 桑 出 村 外。

cǎi zhe xiāng jiān lù， tiān kōng piāo yún cai
踩 着 乡 间 路， 天 空 飘 云 彩。

zǒu guò cài yuán dì， jiàn sāng bǎ sāng cǎi
走 过 菜 园 地， 见 桑 把 桑 采。

xiǎo huǒ lái dǎ rǎo， liǎng yǎn bù lǐ cǎi
小 伙 来 打 扰， 两 眼 不 理 睬。

cǎi dé sāng yè guī， gē shēng fēi tiān wài
采 得 桑 叶 归， 歌 声 飞 天 外。

练一练

　　一只＿＿＿色的小蝴蝶，飞到花丛中，碰到了一只正在采花蜜的小蜜蜂。小蝴蝶邀请小蜜蜂一起去＿＿＿园玩，小蜜蜂不理＿＿＿它，因为它记住了妈妈说的话："做事情要一心一意！"

49 冰雪消 (bīng xuě xiāo)

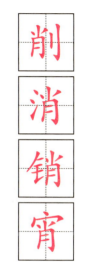

肖 削 消 销 宵

xiāo jiā lì dāo dú zuò xiāo
肖 加 立 刀 读 作 削，

xiāo diào guǒ pí yòng xiǎo dāo
削 掉 果 皮 用 小 刀。

sān diǎn shuǐ páng jiā shàng xiāo
三 点 水 旁 加 上 肖，

tài yáng chū lái bīng xuě xiāo
太 阳 出 来 冰 雪 消。

xiāo jiā jīn páng dú zuò xiāo
肖 加 金 旁 读 作 销，

diàn dòng wán jù zuì chàng xiāo
电 动 玩 具 最 畅 销。

xiāo jiā bǎo gài dú zuò xiāo
肖 加 宝 盖 读 作 宵，

zhēng yuè shí wǔ nào yuán xiāo
正 月 十 五 闹 元 宵。

练一练

　　元_____节那天，婆婆买了最畅_____的苹果。红红的、大大的苹果可诱人了，婆婆_____了个最大的给我吃。我三口两口就把它_____灭啦，婆婆笑我是只小馋猫。

55

每
梅
莓
诲
悔

50 蜡梅[*]

là méi

měi dào dōng jì　　ài huà là méi
每到冬季，爱画蜡梅。

měi dào xià tiān　　ài chī cǎo méi
每到夏天，爱吃草莓。

zhōng shēng bú wàng　　lǎo shī jiào huì
终生不忘，老师教诲。

yòng gōng xué xí　　zhǎng dà bù huǐ
用功学习，长大不悔。

　　小朋友们画四季：春天画燕子，夏天画草＿＿＿，秋天画松鼠，冬天画＿＿＿＿花。学本领，听教＿＿＿，长大不后＿＿＿，每个孩子都是棒棒的！

练一练

---

* "蜡梅"同"腊梅"。

56

51 **清波湖**
qīng bō hú

胡

胡　村　景　色　秀　，　最　美　清　波　湖　。
hú　cūn　jǐng　sè　xiù　　　zuì　měi　qīng　bō　hú

湖　面　清　波　绿　，　湖　下　红　珊　瑚　。
hú　miàn　qīng　bō　lǜ　　　hú　xià　hóng　shān　hú

葫　豆　花　儿　开　，　蝴　蝶　花　间　舞　。
hú　dòu　huā　ér　kāi　　　hú　dié　huā　jiān　wǔ

风　吹　湖　边　柳　，　水　中　影　模　糊　。
fēng　chuī　hú　biān　liǔ　　　shuǐ　zhōng　yǐng　mó　hu

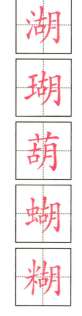
湖
瑚
葫
蝴
糊

练一练

＿＿＿＿＿芦娃里最小的弟弟犯迷＿＿＿＿＿，跟着妖精走了。小弟弟有个宝物，可以随意装＿＿＿＿＿水和珊＿＿＿＿＿。最后爷爷牺牲了自己，救出了小弟弟，七兄弟打败了妖精，把它压在了山下。

立

笔
拉
位
粒
泣

lì jiā zhú zì tóu， zhú lì bì fēng yǔ
立 加 竹 字 头， 竹 笠 避 风 雨 。

lì jiā tí shǒu páng， shǒu lā xū yòng lì
立 加 提 手 旁， 手 拉 须 用 力 。

lì jiā dān rén páng， zì lì cái yǒu wèi
立 加 单 人 旁， 自 立 才 有 位 。

mǐ páng jiā shàng lì， xī liáng yí lì lì
米 旁 加 上 立， 惜 粮 一 粒 粒 。

lì páng sān diǎn shuǐ， cuò zhé bù kū qì
立 旁 三 点 水， 挫 折 不 哭 泣 。

gǔ jīn yīng xióng hàn， kě gē yòu kě qì
古 今 英 雄 汉， 可 歌 又 可 泣 。

　　春雨"沙沙"地下着，像一个小娃娃在哭_____。一_____农民伯伯戴着斗_____，辛辛苦苦种粮食。小朋友们手_____着手在春雨里嬉戏。

练一练

53 变脸
biàn liǎn

金

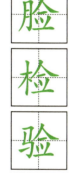

脸
检
验
剑
捡
险
俭

qiān zì yǎn biàn liǎn　　jiǎn yàn quán guò guān
佥 字 演 变 脸 ， 检 验 全 过 关 。

huī jiàn liǎn yí biàn　　jiǎn huā yòu biàn liǎn
挥 剑 脸 一 变 ， 捡 花 又 变 脸 。

kǒu zhōng tǔ huǒ yàn　　kàn zhe zhēn jīng xiǎn
口 中 吐 火 焰 ， 看 着 真 惊 险 。

suī rán míng qi dà　　píng shí hěn jié jiǎn
虽 然 名 气 大 ， 平 时 很 节 俭 。

练 一 练

　　小兔子在路边_____到一把锋利的宝_____，玩的时候不小心划伤了自己的小_____蛋，真危_____！兔爸爸教导它以后玩要时，要先_____查玩具是否安全。

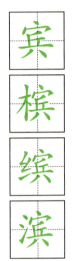

兵
宾
槟
缤
滨

54 海滨 hǎi bīn

兵加宝盖读作宾，
bīng jiā bǎo gài dú zuò bīn

张灯结彩迎嘉宾。
zhāng dēng jié cǎi yíng jiā bīn

木旁加宾读作槟，
mù páng jiā bīn dú zuò bīng

槟榔树高果青青。
bīng láng shù gāo guǒ qīng qīng

绞丝旁边加上宾，
jiǎo sī páng biān jiā shàng bīn

落英缤纷好风景。
luò yīng bīn fēn hǎo fēng jǐng

三点水旁加上宾，
sān diǎn shuǐ páng jiā shàng bīn

海滨沙软水清清。
hǎi bīn shā ruǎn shuǐ qīng qīng

菲菲和家人一起去海_____参加亲戚的婚礼。婚礼布置在一个公园里，_____榔树下，挂满了五彩_____纷的气球，_____客们纷纷向新人道贺，到处洋溢着喜气洋洋的气氛。

练一练

60

55 好家庭

一个 廷 字 不 难 认，

古 代 帝 王 坐 朝 廷 。

廷 加 虫 旁 读 作 蜓 ，

荷 塘 飞 过 红 蜻 蜓 。

廷 加 舟 旁 读 作 艇 ，

湖 水 清 波 荡 游 艇 。

提 手 旁 边 加 上 廷 ，

松 柏 挺 立 高 山 顶 。

广 字 头 下 加 上 廷 ，

幸 福 美 满 好 家 庭 。

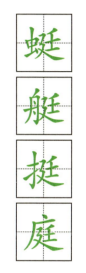

周末，我们全家去郊游，来到了海滨，看见一艘游_____驶过。大人们在钓鱼，我和妹妹则加入了捉蜻_____的队伍，玩得_____开心的，我好喜欢这个大家_____！

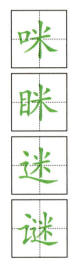

56 花猫和老鼠
huā māo hé lǎo shǔ

xiǎo huā māo ， mī mī jiào ，
小 花 猫 ， 咪 咪 叫 ，

yuán yuán yǎn jing hú zi qiào 。
圆 圆 眼 睛 胡 子 翘 。

mī zhe yǎn ， gōng zhe yāo ，
眯 着 眼 ， 躬 着 腰 ，

mí mi hú hú shuì dà jiào 。
迷 迷 糊 糊 睡 大 觉 。

lǎo shǔ jiàn le hā hā xiào ，
老 鼠 见 了 哈 哈 笑 ，

jīn wǎn tōu mǐ chī gè bǎo 。
今 晚 偷 米 吃 个 饱 。

gāng yào dòng shǒu bèi māo zhuā ，
刚 要 动 手 被 猫 抓 ，

zhè gè mí dǐ shuí zhī dào ？
这 个 谜 底 谁 知 道 ？

我躺在摇椅上＿＿＿着眼,不一会儿就＿＿＿ ＿＿＿糊糊地睡着了。我隐约听见＿＿＿ ＿＿＿的叫声,一睁眼看见表姐抱着一只小猫站在我身边,说:"我们一起来玩猜＿＿＿语的游戏吧!"

练一练

57 杨树魔术师

yáng shù mó shù shī
杨 树 魔 术 师

yáng shù mó shù shī　　shǒu fǎ bù xún cháng
杨 树 魔 术 师，手 法 不 寻 常。

huá diào mù zì páng　　yòng tǔ jiàn guǎng chǎng
划 掉 木 字 旁，用 土 建 广 场。

huàn chéng tí shǒu páng　　jǔ qí yíng fēng yáng
换 成 提 手 旁，举 旗 迎 风 扬。

lì jí biàn yuè páng　　zhù rén rè xīn cháng
立 即 变 月 旁，助 人 热 心 肠。

zài huàn shēn zì páng　　rén rén dōu huān chàng
再 换 申 字 旁，人 人 都 欢 畅。

jiā shàng sān diǎn shuǐ　　duān chū xiān yú tāng
加 上 三 点 水，端 出 鲜 鱼 汤。

杨
场
扬
肠
畅
汤

练一练

　　小丽跟妈妈去菜市_____买菜，路过水果店，买了一斤_____梅。路上碰到老师，老师在妈妈面前表_____了小丽。小丽听了，心情特别舒_____，晚上喝了一大碗鸡_____，就连平时不爱吃的香_____也吃得津津有味。

＊此字为古文字，标注的为古音，注音参见《汉字源流字典》。

乔

轿

娇

桥

骄

58 抬花轿

tái huā jiào

qiáo jiā yuàn zi zhēn rè nao
乔 家 院 子 真 热 闹 ，

xiǎo hái wán qǐ tái huā jiào
小 孩 玩 起 抬 花 轿 。

yí gè nán hái bàn xīn niáng
一 个 男 孩 扮 新 娘 ，

jiāo méi nòng yǎn dòu rén xiào
娇 眉 弄 眼 逗 人 笑 。

tái shàng huā jiào guò dà qiáo
抬 上 花 轿 过 大 桥 ，

niǔ ya chàng ya pǎo le diào
扭 呀 唱 呀 跑 了 调 。

nǚ wá bàn zuò xīn láng guān
女 娃 扮 作 新 郎 官 ，

dé yì yáng yáng hǎo jiāo ào
得 意 扬 扬 好 骄 傲 。

小乔家新买了一辆小_____车，周末全家去郊游，不论是平坦的大路，还是狭窄的小石_____，爸爸都稳稳地开过，大家都为爸爸的开车技术感到_____傲。

练一练

59 电动小玩具
diàn dòng xiǎo wán jù

仓

枪 舱 苍 抢

ér tóng wán jù diàn
儿 童 玩 具 店，

wán jù duō yòu guǎng
玩 具 多 又 广 。

sù liào chōng fēng qiāng
塑 料 冲 锋 枪，

qiāng tóu shǎn shǎn liàng
枪 头 闪 闪 亮 。

diàn dòng xiǎo cāng kù
电 动 小 仓 库，

néng shēng yòu néng jiàng
能 升 又 能 降 。

xiǎo xiǎo chuán cāng lǐ
小 小 船 舱 里，

rén lái yòu rén wǎng
人 来 又 人 往 。

cāng sōng cuì bǎi jiān
苍 松 翠 柏 间，

xiǎo niǎo zài gē chàng
小 鸟 在 歌 唱 。

liǎng zhī dà xióng jī
两 只 大 雄 鸡，

chì bǎng hé yòu zhāng
翅 膀 合 又 张 。

duì zhe pán zhōng mǐ
对 着 盘 中 米，

diǎn tóu zhēng zhe qiǎng
点 头 争 着 抢 。

rèn nǐ mǎi yí jiàn
任 你 买 一 件，

huí jiā xì guān shǎng
回 家 细 观 赏 。

练 一 练
红红正在玩她的小纸船。突然一只＿＿＿＿蝇飞来，正好飞到船＿＿＿＿上。这时小明拿着水＿＿＿＿对着射过去，结果小纸船沉了。小明急忙道歉，红红这才破涕为笑。

分

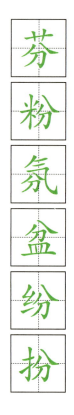

芬

粉

氛

盆

纷

扮

60　真花和假花
zhēn huā hé jiǎ huā

百花开放吐芬芳，
bǎi huā kāi fàng tǔ fēn fāng

蜜蜂嗡嗡花丛闹。
mì fēng wēng wēng huā cóng nào

采集花粉酿蜂蜜，
cǎi jí huā fěn niàng fēng mì

边唱歌来边舞蹈。
biān chàng gē lái biān wǔ dǎo

欢乐气氛荡园林，
huān lè qì fēn dàng yuán lín

阳光明媚花枝俏。
yáng guāng míng mèi huā zhī qiào

窗台一盆塑料花，
chuāng tái yì pén sù liào huā

愤愤不平很气恼：
fèn fèn bù píng hěn qì nǎo

wǒ bù dǎ ban yě yāo ráo
"我 不 打 扮 也 妖 娆 ，

duì wǒ lěng luò bù gōng dao
对 我 冷 落 不 公 道 。"

mì fēng fēn fēn bǎ tóu yáo
蜜 蜂 纷 纷 把 头 摇 ：

zhēn huā jiǎ huā wǒ zhī dào
"真 花 假 花 我 知 道 。"

扫码获取
· 看 视 频
· 听 儿 歌
· 笔 顺 动 画
· 拓 展 学 习

　　春天到了，小蜜蜂们_____ _____出去采集花_____，
一_____鲜艳的玫瑰花开得正艳，_____芳扑鼻，小蜜蜂们
把玫瑰花团团围住，花园里一片欢乐的_____围。

练一练

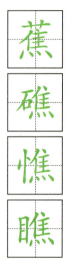

61 芭蕉
bā jiāo

识字写字别心焦，
shí zì xiě zì bié xīn jiāo

用焦组字莫混淆。
yòng jiāo zǔ zì mò hùn xiáo

草头芭蕉叶子大，
cǎo tóu bā jiāo yè zi dà

水上行船防暗礁。
shuǐ shàng xíng chuán fáng àn jiāo

十月寒霜降大地，
shí yuè hán shuāng jiàng dà dì

许多花儿憔悴了。
xǔ duō huā ér qiáo cuì le

睁开眼睛瞧一瞧，
zhēng kāi yǎn jing qiáo yi qiáo

满地菊花丛中笑。
mǎn dì jú huā cóng zhōng xiào

清晨，小凡一脸_____悴。原来他晚上做了个噩梦，梦见一艘船在狂风暴雨中撞上了暗_____，结果被吓醒了。妈妈正安慰他，只听见楼下有人在叫："美人_____开花了，大家快来_____啊！"小凡一听，立马精神起来，出去看花了。

练一练

68

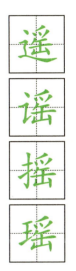

62 外婆桥
wài pó qiáo

在 遥 远 的 小 山 村 ，
zài yáo yuǎn de xiǎo shān cūn

流 传 一 首 老 歌 谣 。
liú chuán yì shǒu lǎo gē yáo

外 婆 唱 了 妈 妈 唱 ：
wài pó chàng le mā ma chàng

"摇 船 摇 到 外 婆 桥 。"
yáo chuán yáo dào wài pó qiáo

今 天 我 又 接 着 唱 ，
jīn tiān wǒ yòu jiē zhe chàng

外 婆 点 头 妈 妈 笑 。
wài pó diǎn tóu mā ma xiào

外 婆 送 我 心 上 宝 ，
wài pó sòng wǒ xīn shàng bǎo

一 串 木 珠 胜 琼 瑶 。
yí chuàn mù zhū shèng qióng yáo

练一练

　　放学后，姐姐和弟弟一回到家就放下书包，坐在沙发上，边吃东西边拿起＿＿＿＿控器，打开电视。弟弟要听＿＿＿＿滚歌曲，姐姐要听民间歌＿＿＿＿，两人你不让我，我不让你，结果谁也没听成。

*此字为古文字，标注的为古音，注音参见《汉字源流字典》。

丑

妞
羞
扭
忸
纽

63 小妞

我家有小妞，人乖爱做丑。
wǒ jiā yǒu xiǎo niū， rén guāi ài zuò chǒu

爱哭又爱笑，活泼又害羞。
ài kū yòu ài xiào， huó pō yòu hài xiū

一见新客来，躲在人背后。
yí jiàn xīn kè lái， duǒ zài rén bèi hòu

牵手见见面，身子扭一扭。
qiān shǒu jiàn jian miàn， shēn zi niǔ yi niǔ

忸怩走上前，低头弄纽扣。
niǔ ní zǒu shàng qián， dī tóu nòng niǔ kòu

客人刚一走，歌声亮悠悠。
kè rén gāng yì zǒu， gē shēng liàng yōu yōu

小区新来了一位小朋友，他的名字叫豆豆。豆豆开始有些害_____，经常低着头拨弄着自己的_____扣。大伙叫豆豆一起玩游戏，他也_____怩着不敢上前。不过，没过几天，他就和大家玩在一起了。

练一练

64 祝福 zhù fú

fú
畐 *

伟大祖国，多个民族。
wěi dà zǔ guó　duō gè mín zú

幅员辽阔，物产丰富。
fú yuán liáo kuò　wù chǎn fēng fù

文明古国，名实相副。
wén míng gǔ guó　míng shí xiāng fù

江山如画，光彩夺目。
jiāng shān rú huà　guāng cǎi duó mù

中华儿女，为您祝福！
zhōng huá ér nǚ　wèi nín zhù fú

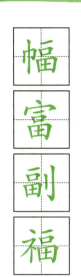

幅
富
副
福

练一练

　　今天是爷爷的生日，小刚不仅为爷爷准备了丰_____多彩的节目，还买了一_____手套，画了一_____美丽的画送给爷爷，祝_____爷爷生日快乐！

　*此字为古文字，标注的为古音，注音参见《汉字源流字典》。

yǒng
甬

yǒng　　shì
65 勇　士

勇
桶
蛹
涌
踊
通

yǒng zì dà lì shì，yīng yǒng lì wú qióng。
勇 字 大 力 士，英 勇 力 无 穷。

qù diào lì zì dǐ，yòng mù zuò chéng tǒng。
去 掉 力 字 底，用 木 做 成 桶。

mù páng huàn chéng chóng，chóng zi biàn zuò yǒng。
木 旁 换 成 虫，虫 子 变 作 蛹。

yǐn lái sān diǎn shuǐ，gǔn gǔn bō làng yǒng。
引 来 三 点 水，滚 滚 波 浪 涌。

jǔ zú huàn chéng yǒng，yǒng yuè xiàng qián chōng。
举 足 换 成 踊，踊 跃 向 前 冲。

qǐng chū zǒu zhī dǐ，zǒu lù lù chàng tōng。
请 出 走 之 底，走 路 路 畅 通。

　　一天，红蚂蚁带着它的孩子们一路畅_____地来到海边，看着海水_____上岸，坐在木_____里的小蚂蚁们都兴奋起来，它们一个个_____跃地跳下水，立刻成了一群踏浪的_____士。

练一练

66 开辟 kāi pì

qióng xiāng pì rǎng　yǒng yú kāi pì
穷 乡 僻 壤 ， 勇 于 开 辟 。

bú pà liè rì　bú bì fēng yǔ
不 怕 烈 日 ， 不 避 风 雨 。

tǔ bì ní qiáng　jì zǎi guò qù
土 壁 泥 墙 ， 记 载 过 去 。

yōng bào zhāo xiá　zhǎn kāi shuāng bì
拥 抱 朝 霞 ， 展 开 双 臂 。

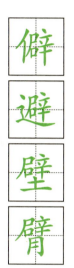

僻
避
壁
臂

练一练

　　黑蚂蚁为了躲_____红蚂蚁的追击，沿着墙_____一直爬行，终于开_____了一条偏_____又隐秘的小道。黑蚂蚁成功了，它们高兴地张开双_____，相互拥抱着，欢呼着。

古

咕
故
苦
姑
菇
固

67 故乡

bù gǔ niǎo　gū gū gū
布 谷 鸟 ， 咕 咕 咕 ，

wǒ men yì jiā duō xìng fú
我 们 一 家 多 幸 福 。

bà ba jìn chǎng dāng gōng rén
爸 爸 进 厂 当 工 人 ，

lái qù tà zhe gù xiāng lù
来 去 踏 着 故 乡 路 。

mā ma gàn huó bú pà kǔ
妈 妈 干 活 不 怕 苦 ，

gē dào dǎ gǔ huī hàn zhū
割 稻 打 谷 挥 汗 珠 。

gū gu zhí zhōng gāng bì yè
姑 姑 职 中 刚 毕 业 ，

huí jiā zhòng guā zhòng xiāng gū
回 家 种 瓜 种 香 菇 。

wǒ zài xiǎo xué ài gǔ shī
我 在 小 学 爱 古 诗，

dú dú xiě xiě jì láo gù
读 读 写 写 记 牢 固。

wǒ ài gù xiāng shān hé shuǐ
我 爱 故 乡 山 和 水，

gù xiāng jiù shì yì běn shū
故 乡 就 是 一 本 书。

练一练

　　小灰兔和小白兔回到_____乡，它们一起上山采蘑_____。虽然肚子都饿得_____ _____叫，可它们不怕累，不怕_____，终于采了满满一篮子蘑_____。

zào

杲*

68 洗 澡
xǐ zǎo

噪
燥
躁
澡
操

rì luò huáng hūn dào　qún niǎo shù shàng zào
日 落 黄 昏 到 ， 群 鸟 树 上 噪 。

shǔ rè tiān gān zào　xīn zhōng bié jí zào
暑 热 天 干 燥 ， 心 中 别 急 躁 。

wǎn fēng qīng qīng chuī　chéng liáng xǐ xi zǎo
晚 风 轻 轻 吹 ， 乘 凉 洗 洗 澡 。

cāo chǎng piāo qín shēng　yuè sè duō měi hǎo
操 场 飘 琴 声 ， 月 色 多 美 好 。

一下课，小凯就跑到_____场上去踢球，因为天气干_____炎热，没踢一会儿，他就满头大汗了。小凯有点急_____，赶紧回家洗了个_____，这才感到浑身舒服。

练一练

*此字为古文字，标注的为古音，注音参见《汉字源流字典》。

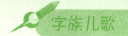

yáo
尧

69 富(fù) 饶(ráo)

fú xiǎo wén tí niǎo   dà dì chūn lái zǎo
拂 晓 闻 啼 鸟 ， 大 地 春 来 早 。

zhāo xiá sì huǒ shāo   qún shān bái wù rào
朝 霞 似 火 烧 ， 群 山 白 雾 绕 。

rén qín jiāo hǎo dì   jiā xiāng gèng fù ráo
人 勤 浇 好 地 ， 家 乡 更 富 饶 。

qiǎo shǒu huì jǐn xiù   jiāng shān jìn yāo ráo
巧 手 绘 锦 绣 ， 江 山 尽 妖 娆 。

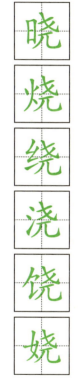

晓
烧
绕
浇
饶
娆

练一练

　　拂_____时分，小鸟在枝头歌唱，农民伯伯在地里给庄稼_____水，白云环_____着山头，大树摇着绿叶，好像在说："我们这片土地多么富_____啊！"

77

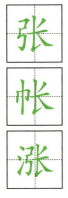

70 路长长
lù cháng cháng

shuǐ máng máng　　lù cháng cháng
水茫茫，路长长。

xiǎo shù miáo　　kuài kuài zhǎng
小树苗，快快长。

zhāng kāi bái fān　　chuán xiàng yuǎn fāng
张开白帆，船向远方。

kàn yán tú qīng shā zhàng
看沿途青纱帐，

kàn liǎng àn dào jīn huáng
看两岸稻金黄。

kàn cháo luò yòu cháo zhǎng
看潮落又潮涨，

kàn hǎi shàng shēng tài yáng
看海上升太阳。

一场大雨过后，河里_____满了水，荷花浮在水面上，像一个个粉脸蛋儿的小姑娘，小蜻蜓_____开翅膀飞过来，停在了岸边的_____篷上。

练一练

gěn

艮

71 开垦
kāi kěn

gěn zì zuò shēng páng xíng páng yì xiāng shēng
艮 字 做 声 旁 ， 形 旁 义 相 生 。

tǔ dǐ dú zuò kěn huāng shān rén kāi kěn
土 底 读 作 垦 ， 荒 山 人 开 垦 。

mù páng dú zuò gēn shù dà gēn hěn shēn
木 旁 读 作 根 ， 树 大 根 很 深 。

zú páng dú zuò gēn lì zú zài jiǎo gēn
足 旁 读 作 跟 ， 立 足 在 脚 跟 。

shù xīn dú zuò hèn ài hèn yào fēn míng
竖 心 读 作 恨 ， 爱 恨 要 分 明 。

xīn dǐ dú zuò kěn chéng kěn duì dài rén
心 底 读 作 恳 ， 诚 恳 对 待 人 。

jīn páng dú zuò yín jiàn yín mò tān xīn
金 旁 读 作 银 ， 见 银 莫 贪 心 。

垦
根
很
跟
恨
恳
银

练一练

　　小洋踢球时一不小心踢到了小军的脚_____。小军瞪着小洋，小洋急忙向小军诚_____地道歉。老师说："同学之间要相互包容，不能记_____在心。"小军听了老师的话，低下了头。

jiān
戋

浅
钱
笺
盏
线

72 浅字不一般
qiǎn zì bú yì bān

莫要小看浅，身手不一般。
mò yào xiǎo kàn qiǎn, shēn shǒu bú yì bān

去掉三点水，点金变成钱。
qù diào sān diǎn shuǐ, diǎn jīn biàn chéng qián

用上竹字头，看书有书笺。
yòng shàng zhú zì tóu, kàn shū yǒu shū jiān

变成皿字底，借来灯一盏。
biàn chéng mǐn zì dǐ, jiè lái dēng yì zhǎn

丝旁变成线，毛线织衣穿。
sī páng biàn chéng xiàn, máo xiàn zhī yī chuān

晚上，小爽提着一_____灯，小峰拿着妈妈给的十元_____，他们一起来到商店。小峰说："我要买个精致的书_____。"小爽说："明天是妈妈的生日，我要买一些_____色的毛_____送给妈妈织毛衣。"

练一练

73 lán huā
兰 花

gōng yuán huā tán lǐ, bǎi huā huā làn màn
公 园 花 坛 里 ， 百 花 花 烂 漫 。

lán huā hé lán cǎo, wèi xiāng rén liú liàn
兰 花 和 兰 草 ， 味 香 人 留 恋 。

yǒu rén kuà lán gān, dòng shǒu qù zhé duàn
有 人 跨 栏 杆 ， 动 手 去 折 断 。

wǒ men máng zǔ lán huā gòng dà jiā kàn
我 们 忙 阻 拦 ："花 供 大 家 看 。"

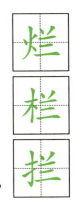

练一练

　　果园里的葡萄藤都爬到＿＿＿＿杆上了，藤上挂着一串串葡萄。这时，一阵风吹过，掉下了一串葡萄，小兰看到了，正要去捡，却被小红＿＿＿＿住了，说："葡萄都摔＿＿＿＿了，不能吃了。"

81

包

炮
胞
饱
袍
抱
跑

nào yuán xiāo
74 闹元宵

nào yuán xiāo　　fàng biān pào
闹元宵，放鞭炮，

xīn nián chù chù chūn yì nào
新年处处春意闹。

gè zú tóng bāo guān huā dēng
各族同胞观花灯，

jīng shen bǎo mǎn xìng zhì gāo
精神饱满兴致高。

yǒu de zhuó duǎn zhuāng
有的着短装，

yǒu de chuān cháng páo
有的穿长袍，

yǒu de bēi xiàng jī
有的背相机，

yǒu de kuà tí bāo
有的挎提包。

dì di nián jì xiǎo
弟弟年纪小，

bà ba huái zhōng bào
爸爸怀中抱。

zhāng yǎn sì chù qiáo
张眼四处瞧，

nǎ lǐ dōu piào liang
哪里都漂亮。

rén qún zhuī zhe lóng dēng pǎo
人群追着龙灯跑，

mǎn chéng chūn fēng mǎn chéng xiào
满城春风满城笑。

元宵节那天，我和双_____胎妹妹吃得_____ _____的，来到了大街上玩。街上到处可以听到放鞭_____的声音，有的大人穿着长_____，有的小朋友吹着泡泡，就连小花猫都_____着，追着，多热闹啊！

练一练

83

因

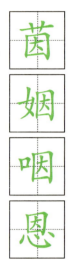

茵
姻
咽
恩

75 感^{gǎn} 恩^{ēn}

因加草头，绿草如茵。
yīn jiā cǎo tóu，lǜ cǎo rú yīn

女大成人，自主婚姻。
nǚ dà chéng rén，zì zhǔ hūn yīn

口通咽喉，口咽连声。
kǒu tōng yān hóu，kǒu yàn lián shēng

心存感激，知恩报恩。
xīn cún gǎn jī，zhī ēn bào ēn

足球场上，绿草如_____。球员们顶着大太阳在练习踢足球，他们口干舌燥，忍不住_____了几下口水。虽然练习特别辛苦，但是球员们都感_____这片草地，因为，他们在这里创造了一次次奇迹，有的队友还和球迷结成了一段好_____缘。

练一练

76

^{zhī} ^{zhū}
蜘　蛛

| _{zhū} 朱 | _{jiā} 家 | _{yì} 一 | _{zhū} 株 | _{shù} 树 ， | _{zhī} 枝 | _{tóu} 头 | _{guà} 挂 | _{zhī} 蜘 | _{zhū} 蛛 。 |

朱家一**株**树，枝头挂蜘**蛛**。

银丝织罗网，摆开八阵图。
_{yín sī zhī luó wǎng　bǎi kāi bā zhèn tú}

专捉飞来将，捕法很特**殊**。
_{zhuān zhuō fēi lái jiàng　bǔ fǎ hěn tè shū}

使用空城计，表面装糊涂。
_{shǐ yòng kōng chéng jì　biǎo miàn zhuāng hú tu}

缩起八只脚，活像圆珍**珠**。
_{suō qǐ bā zhī jiǎo　huó xiàng yuán zhēn zhū}

谁敢来破网，**诛**灭不含糊。
_{shuí gǎn lái pò wǎng　zhū miè bù hán hu}

株
蛛
殊
珠
诛

练一练

　　朱同学家里有一_____紫丁香。有一天，一只蜘_____爬到紫丁香花瓣上，他灵机一动，拿着一颗小_____子向它身上一扔，心里期待着可以用这种特_____的方法把这只小家伙赶跑。

夹

峡
狭
侠
挟
浃
荚
颊

77 三 峡

sān xiá

两 岸 青 山 夹 江 水 ，
liǎng àn qīng shān jiā jiāng shuǐ

滚 滚 长 江 涌 三 峡 。
gǔn gǔn cháng jiāng yǒng sān xiá

波 涛 冲 开 狭 窄 路 ，
bō tāo chōng kāi xiá zhǎi lù

瞿 塘 巫 峡 西 陵 峡 。
qú táng wū xiá xī líng xiá

船 工 一 身 侠 骨 在 ，
chuán gōng yì shēn xiá gǔ zài

挟 云 驾 雾 驰 天 涯 。
xié yún jià wù chí tiān yá

汗 流 浃 背 喊 声 壮 ，
hàn liú jiā bèi hǎn shēng zhuàng

号 子 声 声 入 万 家 。
hào zi shēng shēng rù wàn jiā

喜 看 千 里 豆 荚 熟 ，
xǐ kàn qiān lǐ dòu jiá shú

姑 娘 面 颊 艳 如 花 。
gū niang miàn jiá yàn rú huā

小明和爸爸去三清山游玩，穿过幽静的_____谷，走过_____窄的小道，小明汗流_____背，面_____通红，可是他一点也不觉得累。他和爸爸一边吃着豆_____一边继续欣赏风景。

练一练

78 杜鹃花
dù juān huā

yuàn
肙 *

娟
狷
涓
捐
绢
鹃

gū niang mào juān xiù hǎo sì yuán zhōng huā
姑 娘 貌 娟 秀 ， 好 似 园 中 花 。

wéi rén bú juàn ào píng yì zhòng rén kuā
为 人 不 狷 傲 ， 平 易 众 人 夸 。

juān liú bèn dà hǎi juān qū bào guó jiā
涓 流 奔 大 海 ， 捐 躯 报 国 家 。

shǒu juàn suī shuō xiǎo xiù chū zuì měi huā
手 绢 虽 说 小 ， 绣 出 最 美 花 。

mǎn shān dù juān hóng guāng cǎi zhào wàn jiā
满 山 杜 鹃 红 ， 光 彩 照 万 家 。

练一练

村里有一条小河，它用_____ _____细流滋润着两岸田地。小河边盛开着很多杜_____花。村里有一个小姑娘，她心地善良、相貌_____秀，为人一点儿都不_____傲。有个小孩病了，需要很多钱看病，小姑娘就把自己的压岁钱用手_____包好，_____给了那个小孩。

*此字为古文字，标注的为古音，注音参见《汉字源流字典》。

79 奇妙的票字
qí miào de piào zì

飘
漂
膘
骠
飘

piào zì yòng tú guǎng chuán piào huǒ chē piào
票字用途广，船票火车票。

piào zì jiā piān páng biàn huà duō qí miào
票字加偏旁，变化多奇妙。

yǎo shuǐ yòng guā piáo shuǐ shàng chuán ér piāo
舀水用瓜瓢，水上船儿漂。

cǎo yuán kuān yòu dà yáng féi mǎ zhǎng biāo
草原宽又大，羊肥马长膘。

qí shàng huáng biāo mǎ cǎi qí yíng fēng piāo
骑上黄骠马，彩旗迎风飘。

　　天空＿＿＿＿着几朵白云，牧马人牵着一匹＿＿＿＿亮的黄＿＿＿＿马来到小河边，他拿起一个瓜＿＿＿＿舀水给马喝。一阵风吹来，牧马人顿时觉得好凉爽。

练一练

80 玫　瑰
（méi　gui）

绿洋槐（lǜ yáng huái），红玫瑰（hóng méi gui），

红绿相映颜色美（hóng lǜ xiāng yìng yán sè měi）。

心中拿定好主意（xīn zhōng ná dìng hǎo zhǔ yì），

永不被人当傀儡（yǒng bú bèi rén dāng kuǐ lěi）。

人生路上不退缩（rén shēng lù shàng bú tuì suō），

敢于拼搏勇夺魁（gǎn yú pīn bó yǒng duó kuí）。

有所担当不推诿（yǒu suǒ dān dāng bù tuī wěi），

豪迈人生心无愧（háo mài rén shēng xīn wú kuì）。

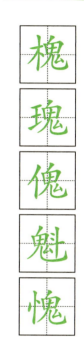

鬼 槐 瑰 傀 魁 愧

练一练

　　春天来了，公园里的那棵老_____树下开满了玫_____花。一个身材_____梧的年轻人偷偷地摘了一枝把玩，被一个小朋友看到了。小朋友说："哥哥，我们不能伤害花草树木！"年轻人听后很惭_____。

81 明是非
míng shì fēi

非

诽

悲

啡

蜚

匪

罪

辈

shì jiù shì， fēi jiù fēi。
是 就 是， 非 就 非。

fěi bàng kě chǐ， xìn yáo kě bēi。
诽 谤 可 耻， 信 谣 可 悲。

měi jiǔ kā fēi mò chén zuì，
美 酒 咖 啡 莫 沉 醉，

liú yán fēi yǔ zhōng chéng huī。
流 言 蜚 语 终 成 灰。

dǎ jī fěi tú bù shǒu ruǎn，
打 击 匪 徒 不 手 软，

chéng fá zuì fàn shǒu zhèng yì，
惩 罚 罪 犯 守 正 义，

yīng xióng yí bèi yòu yí bèi。
英 雄 一 辈 又 一 辈。

练一练

　　今天，阳光灿烂，小明的心情却_____伤极了。他一边喝着咖_____，一边想着那些流言_____语，想着_____谤他的人，小明发誓一_____子不跟这些当面一套背后一套的人做朋友。

82 楼外楼
lóu wài lóu

lóu
娄

农家有竹篓，上山下地随人走。
nóng jiā yǒu zhú lǒu　shàng shān xià dì suí rén zǒu

民间有巧匠，雕木刻石金可镂。
mín jiān yǒu qiǎo jiàng　diāo mù kè shí jīn kě lòu

世上有喽啰，人云亦云跟主吼。
shì shàng yǒu lóu luo　rén yún yì yún gēn zhǔ hǒu

生活有智者，条分缕析解烦忧。
shēng huó yǒu zhì zhě　tiáo fēn lǚ xī jiě fán yōu

亲人喜相逢，相互搂抱泪花流。
qīn rén xǐ xiāng féng　xiāng hù lǒu bào lèi huā liú

高处望远处，山外青山楼外楼。
gāo chù wàng yuǎn chù　shān wài qīng shān lóu wài lóu

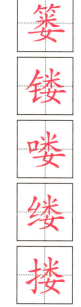

篓

镂

喽

缕

搂

楼

练一练

　　我家对面新开了一家大酒_____，门口的两根柱子上用金色的漆_____刻着一副对联，显得格外喜庆。我_____着爸爸撒娇地说想进去吃饭。我们一进门，服务员就热情地说着"欢迎光临"。我们最后把没吃完的菜打包，装进小竹_____拎回家了。

化

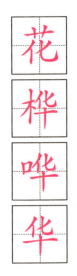

花
桦
哗
华

lǜ shù hóng huā
绿树红花

wǒ men ài lán tiān bì shuǐ
我们爱蓝天碧水，

wǒ men ài lǜ shù hóng huā
我们爱绿树红花。

wèi le dà dì chūn cháng zài
为了大地春常在，

qiān jiā wàn hù máng lǜ huà
千家万户忙绿化。

zhòng xià háng háng xiǎo bái huà
种下行行小白桦，

zāi shàng zhū zhū méi gui huā
栽上株株玫瑰花。

qīng qīng liú shuǐ huā huā huā
清清流水哗哗哗，

fēng chuī lǜ yè shā shā shā
风吹绿叶沙沙沙。

chéng shì xiāng cūn biàn huā yuán
城 市 乡 村 变 花 园，

jǐn xiù hé shān fàng guāng huá
锦 绣 河 山 放 光 华。

有一天，小象穿过白_____林，来到"_____啦啦"流水的小河边，在那里种了一片太阳_____。小象想象着不久后这片土地上将开满太阳_____，心里喜滋滋的！

练一练

连

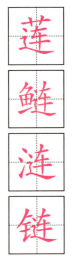

莲
鲢
涟
链

84 莲花湖

lián huā hú
莲花湖

shān chóng shān lái shuǐ xiāng lián
山 重 山 来 水 相 连 ，

lián huā hú zhōng kāi mǎn lián
莲 花 湖 中 开 满 莲 。

duǒ duǒ hóng lián zhāng xiào liǎn
朵 朵 红 莲 张 笑 脸 ，

yìng zhe zhāo yáng gèng jiāo yàn
映 着 朝 阳 更 娇 艳 。

lián yú lǐ yú yuè shuǐ miàn
鲢 鱼 鲤 鱼 跃 水 面 ，

qīng bō dàng yàng shuǐ lián lián
清 波 荡 漾 水 涟 涟 。

yán hú jú chéng huáng càn càn
沿 湖 橘 橙 黄 灿 灿 ，

hǎo xiàng yì quān jīn xiàng liàn
好 像 一 圈 金 项 链 。

小区的河面上盛开着几十朵睡_____，叶子_____成一片。河里有好几条_____鱼游来游去，还时不时跃出水面，掀起一阵阵_____漪。在夕阳的余晖下，这些涟漪像一条条金光闪闪的项_____。

练一练

85 小麻雀 (xiǎo má què)

几 (jǐ)

叽 (jī)
机 (jī)
讥 (jī)
饥 (jī)

几只小麻雀，飞上又飞下。
(jǐ zhī xiǎo má què, fēi shàng yòu fēi xià)

叽叽喳喳吵，都吹本领大。
(jī ji zhā zhā chǎo, dōu chuī běn lǐng dà)

"我比飞机高，它在我脚下。"
(wǒ bǐ fēi jī gāo, tā zài wǒ jiǎo xià)

讥笑火箭慢："比我差远啦。"
(jī xiào huǒ jiàn màn, bǐ wǒ chà yuǎn la)

肚中已饥饿，还在争高下。
(dù zhōng yǐ jī è, hái zài zhēng gāo xià)

争到吵完架，小虫不见啦！
(zhēng dào chǎo wán jià, xiǎo chóng bú jiàn la)

练一练

　　清晨，几只小公鸡_____ _____喳喳地吵个不停，都在夸自己的本领大。它们_____笑乌龟走得慢，看不起虫子个头小。已经非常_____饿的它们还在争吵，结果快到嘴的小虫不见了。

95

白

伯
舶
魄
啪
怕
帕
拍
泊

86 远航 (yuǎn háng)

lán tiān bì hǎi shuǐ máng máng
蓝 天 碧 海 水 茫 茫 ，

wǒ suí bó fù qù yuǎn háng
我 随 伯 父 去 远 航 。

chuán bó tà suì qiān chóng làng
船 舶 踏 碎 千 重 浪 ，

hǎi ōu rào chuán rèn fēi xiáng
海 鸥 绕 船 任 飞 翔 。

jīng xīn dòng pò tái fēng qǐ
惊 心 动 魄 台 风 起 ，

làng shēng pā pā zhèn tiān xiǎng
浪 声 啪 啪 震 天 响 。

fēng dà làng gāo wǒ hài pà
风 大 浪 高 我 害 怕 ，

shǒu pà cā hàn xīn fā huāng
手 帕 擦 汗 心 发 慌 。

bó fù pāi pai wǒ jiān bǎng
伯 父 拍 拍 我 肩 膀 ，

shén sè zhèn dìng wàng qián fāng
神 色 镇 定 望 前 方 。

wěn wěn zhǎng duò háng xiàng zhèng
稳 稳 掌 舵 航 向 正，

chuán ér tíng bó zài hǎi gǎng
船 儿 停 泊 在 海 港。

fēng guò tiān qíng kàn hǎi miàn
风 过 天 晴 看 海 面，

lán sè hǎi yáng duō ān xiáng
蓝 色 海 洋 多 安 详。

　　一位老_____在海边看船_____，海浪_____打着礁石，发出"_____ _____"的响声。小朋友们很害_____，吓得失魂落_____，拿着手_____直擦汗。

练一练

97

付

府
腑
附
腐
咐
俯
符
拊

87 ōu yáng xiū xué shū
欧阳修学书

běi sòng ōu yáng xiū　　chū shēng mián zhōu **fǔ**
北 宋 欧 阳 修 ，出 生 绵 州 **府** 。

sì suì fù qīn wáng　　jiā jìng hěn qīng kǔ
四 岁 父 亲 亡 ，家 境 很 清 苦 。

wú qián fù xué fèi　　mǔ qīn lái jiāo dú
无 钱 付 学 费 ，母 亲 来 教 读 。

xiān jiāo xué zuò rén　　jù jù chū fèi **fǔ**
先 教 学 做 人 ，句 句 出 肺 **腑** 。

rén guì yǒu zhì qì　　quán shì mò yī **fù**
"人 贵 有 志 气 ，权 势 莫 依 **附** 。

dú shū zài yú yòng　　qiè mò biàn qiān **fǔ**
读 书 在 于 用 ，切 莫 变 迁 **腐** 。

shū fǎ shì jiā chuán　　hǎo hǎo xué xiān zǔ
书 法 是 家 传 ，好 好 学 先 祖 。"

xiǎo xiǎo ōu yáng xiū　　láo jì mǔ zhǔ **fù**
小 小 欧 阳 修 ，牢 记 母 嘱 **咐** 。

dí cǎo dàng zuò bǐ　　zhǐ zhāng shì shā tǔ
荻 草 当 作 笔 ，纸 张 是 沙 土 。

fǔ shēn shā dì shàng　　qín fèn liàn kǎi shū
俯身沙地上，勤奋练楷书。

yòng bǐ fú guī ju　　chéng zì xiǎn fēng gǔ
用笔符规矩，成字显风骨。

mǔ qīn fǔ zhǎng xiào　　wǒ ér yǒu qián tú
母亲拊掌笑："我儿有前途。"

　　小头爸爸带着大头儿子到_____近一家饭店吃饭，他们点了一道"特色豆_____"。吃饭前，小头爸爸_____身嘱_____大头儿子："吃饭时不能大声说话，更不能吧唧嘴。"大头儿子点点头说："您放心，我一定能_____合您的要求！"

练一练

及

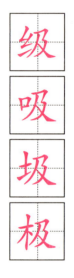

级
吸
圾
极

88 xiǎo xióng shàng xué
小 熊 上 学

xiǎo xióng gāng dú yī nián jí
小 熊 刚 读 一 年 级 ，

měi tiān jí shí zǎo zǎo qǐ
每 天 及 时 早 早 起 。

tǐng ting xiōng shēn hū xī
挺 挺 胸 ， 深 呼 吸 ，

chàng zhe gē ér shàng xué qù
唱 着 歌 儿 上 学 去 。

mā zhuō yǐ sǎo lā jī
抹 桌 椅 ， 扫 垃 圾 ，

zhēng zuò hǎo shì zuì jī jí
争 做 好 事 最 积 极 。

　　一年_____的小豆豆发现一个小朋友正在用_____管喝酸奶，喝完之后随手乱扔。小豆豆及时上前阻止他，然后他们一起把管子捡起来扔进了垃_____桶，他们真是棒_____啦！

练一练

100

89 小弟弟赶鸭
xiǎo dì di gǎn yā

干

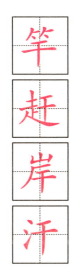

竿
赶
岸
汗

小弟弟，真能干，
xiǎo dì di zhēn néng gàn

手里拿根小竹竿。
shǒu lǐ ná gēn xiǎo zhú gān

小竹竿儿闪呀闪，
xiǎo zhú gān ér shǎn ya shǎn

赶着小鸭下河岸。
gǎn zhe xiǎo yā xià hé àn

弟弟岸上赶，
dì di àn shàng gǎn

脸上流大汗。
liǎn shàng liú dà hàn

小鸭水中游，
xiǎo yā shuǐ zhōng yóu

嘎嘎叫得欢。
gā gā jiào de huān

练一练

老爷爷拿着竹_____，要把一群鸭子_____上_____。太阳公公当空照，累得老爷爷直冒_____。老爷爷呀，真能_____！

土

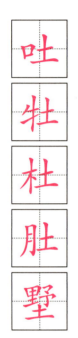

吐
牡
杜
肚
墅

90 **我最爱泥土**
wǒ zuì ài ní tǔ

wǒ zuì ài ní tǔ
我 最 爱 泥 土 ，

ní tǔ shēng wàn wù
泥 土 生 万 物 。

bǎi huā tǔ yán mǔ dan guì
百 花 吐 妍 牡 丹 贵 ，

dù juān zhī tóu huàn chūn zhù
杜 鹃 枝 头 唤 春 驻 。

wǒ zuì ài ní tǔ
我 最 爱 泥 土 ，

ní tǔ yǒu qì dù
泥 土 有 气 度 。

wú shù bǎo zàng zhuāng dù nèi
无 数 宝 藏 装 肚 内 ，

wài biǎo tǎn chéng yòu zhì pǔ
外 表 坦 诚 又 质 朴 。

wǒ zuì ài ní tǔ
我 最 爱 泥 土 ，

ní tǔ zhòng fù chū
泥 土 重 付 出 。

tuō qǐ bié shù qiān wàn jiān
托 起 别 墅 千 万 间 ，

zì jǐ mò mò réng rú gù
自 己 默 默 仍 如 故 。

春天来了，在灰太狼的别_____花园里，_____丹_____露芬芳，美丽的_____鹃在枝头唱歌。可是，饿扁了_____子的灰太狼无心欣赏这美景，只想着如何去捉羊。

练一练

同

筒
桐
洞
铜

91　粗心小画家
cū xīn xiǎo huà jiā

yǒu gè tóng xué jiào xiǎo hǔ
有个同学叫小虎，

zuò shì mǎ hu bù jiǎn chá
做事马虎不检查。

wǔ cǎi huà bǐ yí dà bǎ
五彩画笔一大把，

bú kàn bù xiǎng jiù zuò huà
不看不想就作画。

huà gè bǐ tǒng wān yòu biǎn
画个笔筒弯又扁，

huà kē wú tóng jiē xī guā
画棵梧桐结西瓜。

huà kǒu xiǎo guō yǒu gè dòng
画口小锅有个洞，

huà zhī tóng hào wú lǎ ba
画只铜号无喇叭。

104

āi yā yā   āi yā yā
哎 呀 呀 ， 哎 呀 呀 ，

zhēn shì cū xīn de xiǎo huà jiā
真 是 粗 心 的 小 画 家 ！

晚上，一只戴着_____铃的地鼠正在梧_____树下打_____。宁宁听到声音后，用手电_____一照，吓得地鼠立即钻了回去。

练一练

fū
専*

博
搏
礴
薄

wǒ de zǔ guó
92 我的祖国

wǒ de zǔ guó　　dì dà wù bó
我的祖国，地大物博。

rén mín qín láo　　fèn lì pīn bó
人民勤劳，奋力拼搏。

xiū qī yǔ gòng　　tóng yī xuè mài
休戚与共，同一血脉。

zhèn xīng zhōng huá　　dà qì páng bó
振兴中华，大气磅礴。

bù bó qián rén hòu jīn rén
不薄前人厚今人，

jì wǎng kāi lái hǎi tiān kuò
继往开来海天阔。

　　铠甲召唤人虽然知识不够渊_____，看上去也势单力_____，但是他们变身成了铠甲勇士后，面对伤害人类的幽冥魔时，个个勇敢，_____斗场面气势磅_____。

练一练

*此字为古文字，标注的为古音，注音参见《汉字源流字典》。

93 蓝蓝水，蓝蓝天
lán lán shuǐ　lán lán tiān

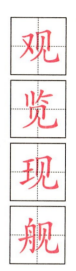

见

观
览
现
舰

zǔ guó shān hé měi
祖 国 山 河 美，

chù chù yǒu qí guān
处 处 有 奇 观。

dēng gāo yì lǎn zhòng shān xiǎo
登 高 一 览 众 山 小，

dào hǎi yǎn jiàn shuǐ wú biān
到 海 眼 见 水 无 边。

hóng rì dōng fāng xiàn
红 日 东 方 现，

jūn jiàn shǐ xiàng qián
军 舰 驶 向 前。

jiǎo tà lán lán shuǐ
脚 踏 蓝 蓝 水，

tóu dǐng lán lán tiān
头 顶 蓝 蓝 天。

练一练

　　天空中的白云变化无穷，经常出＿＿＿＿奇＿＿＿＿。瞧！那朵白云像一艘军＿＿＿＿正在巡航广阔的蓝天，另一朵白云像一位老人在悠闲地游＿＿＿＿大山。

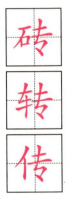

94 搬砖

nǐ bān zhuān　　wǒ bān zhuān
你 搬 砖 ， 我 搬 砖 。

yī èr sān　　zhuǎn shēn chuán
一 二 三 ， 转 身 传 。

zhuān xīn gàn　　gàn de huān
专 心 干 ， 干 得 欢 。

yòng shuāng shǒu　　xiū huā yuán
用 双 手 ， 修 花 园 。

chàng qǐ gē　　gē ér tián
唱 起 歌 ， 歌 儿 甜 。

　　一天下午，小萍正在家中看书。突然，外面_____来了"砰砰砰"的声音。她走到窗前一看，原来是邻居家正在拆院子里的围墙，碎_____块散落一地。小萍_____身回到桌前，继续_____心地看起书来。

练一练

95 红五星
hóng wǔ xīng

chūn fēng chuī　　wàn wù shēng
春 风 吹 ， 万 物 生 ，

chàng chang rén mín jiě fàng jūn
唱 唱 人 民 解 放 军 。

sà shuǎng yīng zī shǒu biān guān
飒 爽 英 姿 守 边 关 ，

tóu shàng shǎn yào hóng wǔ xīng
头 上 闪 耀 红 五 星 。

màn tiān fēi xuě zhuī dí rén
漫 天 飞 雪 追 敌 人 ，

chōng fēng zài qián gǎn xī shēng
冲 锋 在 前 敢 牺 牲 。

yuè jìng huài rén bèi huó zhuō
越 境 坏 人 被 活 捉 ，

chū qí zhì shèng xiǎn wēi míng
出 奇 制 胜 显 威 名 。

quán guó bǎi xìng qí chēng zàn
全 国 百 姓 齐 称 赞 ，

wàn lǐ biān fáng shì cháng chéng
万 里 边 防 是 长 城 。

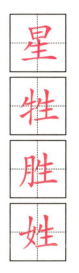

生
星
牲
胜
姓

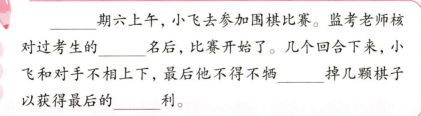

_____期六上午，小飞去参加围棋比赛。监考老师核对过考生的_____名后，比赛开始了。几个回合下来，小飞和对手不相上下，最后他不得不牺_____掉几颗棋子以获得最后的_____利。

练一练

pǒu
音*

陪
培
赔
倍

 96 ài huā gū niang yào xī huā
爱 花 姑 娘 要 惜 花

wǒ péi gū gu qù kàn huā
我 陪 姑 姑 去 看 花 ，

huā zhǎn jiù zài shān jiǎo xià
花 展 就 在 山 脚 下 。

zhǔ rén péi zhí gōng yì qiǎo
主 人 培 植 工 艺 巧 ，

wàn zǐ qiān hóng sì cǎi xiá
万 紫 千 红 似 彩 霞 。

yì pén mò lì xiāng pū bí
一 盆 茉 莉 香 扑 鼻 ，

qiān duǒ wàn duǒ mǎn zhī yā
千 朵 万 朵 满 枝 压 。

ài huā xīn qiè wǒ mō huā
爱 花 心 切 我 摸 花 ，

yí bù xiǎo xīn duàn nèn yá
一 不 小 心 断 嫩 芽 。

*此字为古文字，标注的为古音，注音参见《汉字源流字典》。

wǒ zhǎo zhǔ rén máng péi lǐ
我 找 主 人 忙 赔 礼 ，

jiā bèi péi cháng mò lì huā
加 倍 赔 偿 茉 莉 花 。

zhǔ rén hán xiào kàn zhe wǒ
主 人 含 笑 看 着 我 ：

ài huā gū niang yào xī huā
"爱 花 姑 娘 要 惜 花 。"

　　今天，我_____妈妈去市场买菜，看到了一种新奇的蔬菜，妈妈想请卖菜的阿姨便宜点卖给我们，阿姨却说："_____本的买卖我可不做，这是新_____育出的蔬菜品种，价格都是要翻_____的！"

练一练

反

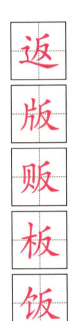

返
版
贩
板
饭

97 新城新事多
xīn chéng xīn shì duō

fàng xué huí jiā jiē biān zǒu
放学回家街边走，

qì chē wǎng fǎn rén rú liú
汽车往返人如流。

shǒu bāi zhǐ tou shǔ yi shǔ
手掰指头数一数，

yòu jiàn xīn lóu jiē xīn lóu
又见新楼接新楼。

shū diàn lái le xīn bǎn shū
书店来了新版书，

guì qián jǐ mǎn xiǎo péng yǒu
柜前挤满小朋友。

chāo shì shāng chǎng xīn yíng yè
超市商场新营业，

fàn mài bǎi huò yàng yàng yǒu
贩卖百货样样有。

shè qū bàn qǐ hēi bǎn bào
社 区 办 起 黑 板 报，

xīn xiān shì ér kàn bú gòu
新 鲜 事 儿 看 不 够。

kuài kuài huí jiā chī wǎn fàn
快 快 回 家 吃 晚 饭，

bú ràng mā ma guà xīn tóu
不 让 妈 妈 挂 心 头。

练一练

　　书店正在出售出_____社新发行的童话书，好多小朋友坐在这里的木_____凳上专心地阅读。吃_____的时间到了，小朋友们却流连忘_____。老板说："回家吃饭吧！吃过饭后你们还可以回来接着看的。"

羊

98 喜 洋洋
xǐ yáng yáng

洋
漾
翔
养
样
祥

yún yun qù cǎo yuán
云 云 去 草 原，
xīn lǐ xǐ yáng yáng
心 里 喜 洋 洋。

cǎo yuán dà wú biān
草 原 大 无 边，
cǎo dī xiàn niú yáng
草 低 现 牛 羊。

hú qīng shuǐ dàng yàng
湖 清 水 荡 漾，
tiān gāo yīng fēi xiáng
天 高 鹰 飞 翔。

měng gǔ zú huǒ bàn
蒙 古 族 伙 伴，
rè qíng yòu dà fang
热 情 又 大 方。

fàng yǎng niú hé yáng
放 养 牛 和 羊，
gè gè hǎo mú yàng
个 个 好 模 样。

cǎo yuán fēng guāng měi
草 原 风 光 美，
xīng wàng yòu jí xiáng
兴 旺 又 吉 祥。

　　蓝蓝的天空中飘浮着朵朵白云，雄鹰展翅飞_____，大草原像绿色的海_____一_____，荡_____其中的是牧羊人精心饲_____的一群群白羊。

练一练

99 bā zì hěn qí miào
八字很奇妙

bā zì hěn qí miào　　zuì huì biàn mó fǎ
八字很奇妙，最会变魔法。

shēn shǒu bā yi bā　　kāi kǒu chuī lǎ ba
伸手扒一扒，开口吹喇叭。

bā zì zhǎng chū jiǎo　　pā xià xiào hā hā
八字长出脚，趴下笑哈哈，

dài shàng xiǎo mào zi　　biàn chū xué dòng dà
戴上小帽子，变出穴洞大。

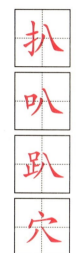

八

扒

叭

趴

穴

练一练　　八只鼹鼠齐心协力_____开一个大大的洞_____，它们_____在洞口，开心地吹起了喇_____！

115

100 意 义

义
蚁
仪
议

yì zì jiā shàng diǎn   biàn de yǒu yì yì
义 字 加 上 点 ， 变 得 有 意 义 。

qí xīn tái xiǎo chóng   shì qún xiǎo mǎ yǐ
齐 心 抬 小 虫 ， 是 群 小 蚂 蚁 。

zuò rén jīng shen zú   táng táng xiǎn wēi yí
做 人 精 神 足 ， 堂 堂 显 威 仪 。

fā yán hěn jī jí   yì lùn duō fēng qù
发 言 很 积 极 ， 议 论 多 风 趣 。

今天，小蚂＿＿＿要去参加一个意＿＿＿非凡的会＿＿＿，＿＿＿表堂堂的小蚂＿＿＿精神饱满地走进了会场。

练一练

101 暑假同学来我家

shǔ jià tóng xué lái wǒ jiā

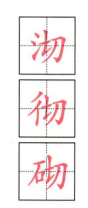

切

沏 彻 砌

shǔ jià tóng xué lái wǒ jiā
暑 假 同 学 来 我 家 ，

xiān gěi péng you qī bēi chá
先 给 朋 友 沏 杯 茶 。

wèi le chè dǐ qīng shǔ rè
为 了 彻 底 清 暑 热 ，

zài qiē yí gè dà xī guā
再 切 一 个 大 西 瓜 。

chī wán xī guā wán diàn nǎo
吃 完 西 瓜 玩 电 脑 ，

qì zuò gāo gāo yǒu yì tǎ
砌 座 高 高 友 谊 塔 。

nǎi nai jiàn le mī mī xiào
奶 奶 见 了 眯 眯 笑 ：

huì dài kè de guāi wá wa
"会 待 客 的 乖 娃 娃 。"

练
一
练

    用刀_____开大西瓜，老师讲解很透_____，高高宝塔两人_____，_____杯清茶敬客人。

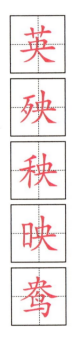

yāng zì gē
102 央字歌

yāng zì tóu shàng dài cǎo mào
央 字 头 上 戴 草 帽 ，

yì shēn jūn zhuāng yīng qì shuǎng
一 身 军 装 英 气 爽 。

yāng zì shēn páng jǐ dǎi tú
央 字 身 旁 挤 歹 徒 ，

zhuō ná dǎi tú miǎn zāo yāng
捉 拿 歹 徒 免 遭 殃 。

yāng zì páng biān hé zì zhàn
央 字 旁 边 禾 字 站 ，

chūn fēng chuī lǜ mǎn tián yāng
春 风 吹 绿 满 田 秧 。

yāng zì kào zhe rì tou zuò
央 字 靠 着 日 头 坐 ，

dà hǎo hé shān yìng zhāo yáng
大 好 河 山 映 朝 阳 。

118

yāng zì xià miàn zhàn zhe niǎo
央 字 下 面 站 着 鸟，

hú shàng yóu lái měi yuān yāng
湖 上 游 来 美 鸳 鸯 。

练
一
练

　　一对鸳_____游到了湖中央，它们发现自己倒_____在水中的影子十分_____俊；抬头望见远处稻田里的农民正忙着插_____。这时，回头看见有一个猎人正用枪瞄准它们，然而警察出现了，它们庆幸自己免遭祸_____。

夸

挎
跨
胯
垮

103 夸字歌 (kuā zì gē)

gǎn yú chī dà kuī, zhí dé kuā yi kuā
敢 于 吃 大 亏 , 值 得 夸 一 夸 。

kuā zì shēn xiǎo shǒu, xiǎo bāo shǒu shàng kuà
夸 字 伸 小 手 , 小 包 手 上 挎 。

kuā zì zhǎng jiǎo yā, dà bù xiàng qián kuà
夸 字 长 脚 丫 , 大 步 向 前 跨 。

kuā zì kào zhe yuè, wǒ men niǔ niu kuà
夸 字 靠 着 月 , 我 们 扭 扭 胯 。

kuā zì āi zhe tǔ, tǔ qiáo yā bù kuǎ
夸 字 挨 着 土 , 土 桥 压 不 垮 。

练一练

一大早，小飞来到学校运动场进行_____栏训练。他从_____包里拿出跑步鞋换上，然后做热身运动，压压腿、扭扭_____。小飞绕着操场连续跑了十几圈，这时教练过来_____赞他能吃苦，不过也告诉他要适度休息，不然身体会累_____的。

小·朋友，这些字族家族里还有哪些成员？请你在例字后面的空白处试着写一写吧！

字族总表

名称	例字	名称	例字
1. 成字族	诚	26. 亢字族	杭
2. 中字族	钟	27. 王字族	汪
3. 丁字族	宁	28. 主字族	注
4. 青字族	晴	29. 圭字族	娃
5. 马字族	蚂	30. 令字族	领
6. 工字族	红	31. 扁字族	遍
7. 良字族	粮	32. 曼字族	漫
8. 巴字族	爸	33. 平字族	苹
9. 己字族	起	34. 元字族	园
10. 争字族	净	35. 容字族	榕
11. 支字族	枝	36. 夆字族	蜂
12. 斤字族	新	37. 尚字族	敞
13. 也字族	池	38. 弟字族	剃
14. 罗字族	萝	39. 利字族	梨
15. 果字族	课	40. 且字族	锄
16. 我字族	娥	41. 其字族	期
17. 冈字族	岗	42. 门字族	问
18. 可字族	河	43. 直字族	置
19. 兆字族	眺	44. 龙字族	笼
20. 皮字族	坡	45. 采字族	踩
21. 少字族	吵	46. 肖字族	削
22. 由字族	抽	47. 每字族	梅
23. 方字族	房	48. 胡字族	湖
24. 交字族	郊	49. 立字族	笠
25. 半字族	伴	50. 佥字族	脸

（续表）

名称	例字	名称	例字
51. 兵字族	宾	76. 票字族	瓢
52. 廷字族	蜓	77. 鬼字族	槐
53. 米字族	咪	78. 非字族	诽
54. 㕥字族	杨	79. 娄字族	楼
55. 乔字族	轿	80. 化字族	花
56. 仓字族	枪	81. 连字族	莲
57. 分字族	芬	82. 几字族	讥
58. 焦字族	蕉	83. 白字族	伯
59. 䍃字族	遥	84. 付字族	府
60. 丑字族	妞	85. 及字族	级
61. 畐字族	富	86. 干字族	竿
62. 甬字族	涌	87. 土字族	吐
63. 辟字族	僻	88. 同字族	筒
64. 古字族	咕	89. 尃字族	博
65. 喿字族	噪	90. 见字族	观
66. 尧字族	晓	91. 专字族	砖
67. 长字族	张	92. 生字族	星
68. 艮字族	垦	93. 咅字族	陪
69. 戋字族	浅	94. 反字族	返
70. 兰字族	栏	95. 羊字族	洋
71. 包字族	炮	96. 八字族	扒
72. 因字族	茵	97. 义字族	蚁
73. 朱字族	株	98. 切字族	沏
74. 夹字族	峡	99. 央字族	英
75. 肙字族	娟	100. 夸字族	挎

易错字儿歌

<ruby>土<rt>tǔ</rt></ruby> <ruby>和<rt>hé</rt></ruby> <ruby>士<rt>shì</rt></ruby>

<ruby>土<rt>tǔ</rt></ruby> <ruby>字<rt>zì</rt></ruby> <ruby>和<rt>hé</rt></ruby> <ruby>士<rt>shì</rt></ruby> <ruby>字<rt>zì</rt></ruby>，<ruby>外<rt>wài</rt></ruby> <ruby>貌<rt>mào</rt></ruby> <ruby>很<rt>hěn</rt></ruby> <ruby>相<rt>xiāng</rt></ruby> <ruby>像<rt>xiàng</rt></ruby>。

<ruby>士<rt>shì</rt></ruby> <ruby>字<rt>zì</rt></ruby> <ruby>下<rt>xià</rt></ruby> <ruby>横<rt>héng</rt></ruby> <ruby>短<rt>duǎn</rt></ruby>，<ruby>土<rt>tǔ</rt></ruby> <ruby>字<rt>zì</rt></ruby> <ruby>下<rt>xià</rt></ruby> <ruby>横<rt>héng</rt></ruby> <ruby>长<rt>cháng</rt></ruby>。

<ruby>日<rt>rì</rt></ruby> <ruby>和<rt>hé</rt></ruby> <ruby>曰<rt>yuē</rt></ruby>

<ruby>日<rt>rì</rt></ruby> <ruby>字<rt>zì</rt></ruby> <ruby>和<rt>hé</rt></ruby> <ruby>曰<rt>yuē</rt></ruby> <ruby>字<rt>zì</rt></ruby>，<ruby>外<rt>wài</rt></ruby> <ruby>貌<rt>mào</rt></ruby> <ruby>很<rt>hěn</rt></ruby> <ruby>相<rt>xiāng</rt></ruby> <ruby>像<rt>xiàng</rt></ruby>。

<ruby>日<rt>rì</rt></ruby> <ruby>字<rt>zì</rt></ruby> <ruby>长<rt>zhǎng</rt></ruby> <ruby>得<rt>de</rt></ruby> <ruby>瘦<rt>shòu</rt></ruby>，<ruby>曰<rt>yuē</rt></ruby> <ruby>字<rt>zì</rt></ruby> <ruby>长<rt>zhǎng</rt></ruby> <ruby>得<rt>de</rt></ruby> <ruby>胖<rt>pàng</rt></ruby>。

刀和刁
dāo hé diāo

刀字和刁字，外貌很相似。
dāo zì hé diāo zì　　wài mào hěn xiāng sì

刀下是一撇，刁下是一提。
dāo xià shì yì piě　　diāo xià shì yì tí

天和夭
tiān hé yāo

天字和夭字，二字有区别。
tiān zì hé yāo zì　　èr zì yǒu qū bié

天上是一横，夭上是一撇。
tiān shàng shì yì héng　　yāo shàng shì yì piě

未和末
wèi hé mò

未字和末字，外貌很相像。
wèi zì hé mò zì　　wài mào hěn xiāng xiàng

未字上横短，末字上横长。
wèi zì shàng héng duǎn　　mò zì shàng héng cháng

己、己、巳
jǐ　yǐ　sì

己　己　巳，貌相似，
jǐ　yǐ　sì　　　mào xiàng sì

小 朋 友，看 仔 细：
xiǎo péng yǒu　kàn zǐ xì

口 儿 大 张 是 己 字，
kǒu ér dà zhāng shì jǐ zì

口 儿 半 张 是 己 字，
kǒu ér bàn zhāng shì yǐ zì

巳 字 宝 宝 不 说 话，
sì zì bǎo bao bù shuō huà

一 张 口 儿 紧 紧 闭。
yì zhāng kǒu ér jǐn jǐn bì

扫码获取
·看视频
·听儿歌
·笔顺动画
·拓展学习

biàn　biàn　biàn
辩、辫、辨

biàn biàn biàn　　mú yàng xiàng
辩 辫 辨 ，模 样 像，

dōu yǒu xīn zì zhàn liǎng páng
都 有 辛 字 站 两 旁。

yán zì páng　　zài zhōng jiān
言 字 旁 ，在 中 间，

biàn lùn wèn tí bǎ huà jiǎng
辩 论 问 题 把 话 讲；

jiǎo sī páng　　zài zhōng jiān
绞 丝 旁 ，在 中 间，

gū niang biàn zi cháng yòu cháng
姑 娘 辫 子 长 又 长；

yì diǎn yì piě zài zhōng jiān
一 点 一 撇 在 中 间，

biàn míng shì fēi hé fāng xiàng
辨 明 是 非 和 方 向。

笔顺易错字表

易错字	✏ 笔顺 ✏
长	ノ 一 卡 长
出	乚 凵 屮 出 出
心	丶 心 心 心
必	丶 心 心 必 必
风	ノ 几 凧 风
弓	⁊ ㇇ 弓
足	丶 ㇆ 口 口 乛 乛 足 足
跑	丶 ㇆ 口 口 乛 乛 乛 趵 趵 趵 跑 跑
走	一 十 土 キ 走 走 走
片	ノ ノ 广 片
pán 爿	丶 丬 爿 爿
zāng 臧	一 厂 广 广 扩 扩 扩 扩 臧 臧 臧 臧 臧
丸	ノ 九 丸
力	㇆ 力
乃	⁊ 乃
及	ノ 乃 及
万	一 丆 万
方	丶 一 亓 方
义	丶 丷 义
又	㇇ 又

127

（续表）

易错字	笔顺
叉	乛 又 叉
火	丶 丷 少 火
忆	丶 丶 忄 忆
迅	乛 孔 孔 讯 讯 迅
丑	乛 刀 丑 丑
里	丨 口 曰 曰 甲 甲 里
重	一 二 一 盲 盲 盲 重 重 重
黑	丶 口 曰 四 曰 甲 甲 里 里 黑 黑 黑
冉	丨 冂 内 内 冉
果	丨 口 曰 旦 甲 早 果
凸	丨 丨 凸 凸 凸
凹	丨 凵 凵 凹 凹
皮	乛 厂 广 皮 皮
虎	丶 卜 卢 卢 卢 虎 虎
七	一 七
比	一 比 比 比
北	丨 丬 北 北 北
兆	丿 丿 北 兆 兆 兆
虱	乛 孔 孔 虱 虱 虱 虱 虱
养	丶 丷 兰 兰 兰 羊 美 养
界	丶 口 曰 甲 田 畀 畀 界 界

128

易错字	笔顺
yú 舆	ノ ゝ ｆ ｆ ｆ ｆ 片 角 甸 甸 阄 阄 鱼 與 與
渊	丶 丶 氵 氵 氵 沪 沪 浒 浒 渊 渊
dōu 兜	ノ 亻 亻 亻 白 白 白 白 甶 甶 兜 兜
sù 肃	フ ヨ 聿 肀 肀 肃 肃 肃
bì 敝	丶 丶 丷 广 广 肖 肖 肖 敝 敝 敝
曾	丶 丷 丷 产 产 尚 曽 曾 曾 曾
shuǎng 爽	一 ｆ ｆ ｆ 爻 爻 爽 爽 爽 爽
jǐ 脊	丶 丷 丷 兴 兴 米 脊 脊 脊
chuí 垂	一 二 千 千 千 垂 垂 垂
guāi 乖	一 二 千 千 千 乖 乖 乖
乘	一 二 千 千 千 乖 乖 乘 乘
bǐng 秉	一 二 三 三 三 秉 秉 秉
良	丶 ｐ ｐ ヨ 良 良 良
nüè 疟	丶 一 广 广 广 疒 疟 疟
è 噩	一 丁 丁 丁 丁 可 可 平 平 噩 噩 噩 噩 噩
yōu 幽	｜ ｜ ｌ ｌ 쓰 幺 幽 幽
巫	一 丁 丌 丌 巫 巫 巫
那	フ ヨ ヨ 月 那 那
丐	一 丅 丅 丐
写	丶 冖 冖 写 写

129

（续表）

易错字	笔顺
假	ノ イ 亻 亻 亻 仔 作 作 假 假 假
埠	一 十 土 圵 圹 圹 圹 埠 埠 埠 埠
追	ノ 亻 亻 亻 户 自 自 追 追
官	丶 丷 宀 宀 宁 官 官 官
qiǎn 遣	丶 丨 口 口 中 虫 串 串 昔 眚 眚 谱 遣
母	乚 Ц 凵 母 母
wú 毋	乚 Ц 毋 毋
惯	丶 丶 忄 忄 忄 忄 忄 惯 惯 惯 惯
舅	ノ 亻 亇 臼 臼 臼 臼 臼 臼 舅 舅
sǒu 叟	ノ 亻 亻 臼 臼 臼 申 叟 叟
chā 插	一 十 扌 扌 扩 打 扦 扦 插 插 插
瓦	一 丆 瓦 瓦
luǎn 卵	ノ 亼 乎 乎 卵 卵 卵
ōu 瓯	一 フ 又 区 区 区 瓯 瓯
áo 敖	一 二 井 圭 耂 耂 耂 敖 敖
察	丶 丷 宀 宀 岁 岁 岁 宓 宓 宓 穸 察 察
zhuó 啄	丨 口 口 口 叮 叭 啄 啄 啄 啄
旅	丶 亠 方 方 方 旅 旅 旅 旅
车	一 艹 た 车
浙	丶 丶 氵 氵 浐 浐 浐 浙 浙 浙

座右铭: _____

语文	
数学	
英语（其他）	
老师留言	作业完成情况 家长签名

第　周·　月　日·星期

语文	
数学	
英语（其他）	
老师留言	作业完成情况 家长签名

3

语文	
数学	
英语（其他）	
老师留言	作业完成情况 家长签名

语文	
数学	
英语（其他）	
老师留言	作业完成情况 家长签名

第　　周·　　月　　日·星期

语文	
数学	
英语（其他）	
老师留言	作业完成情况 家长签名

6

语文	
数学	
英语（其他）	
老师留言	作业完成情况 家长签名

第　周·　月　日·星期

语文	
数学	
英语（其他）	
老师留言	作业完成情况 家长签名

语文	
数学	
英语（其他）	
老师留言	作业完成情况 家长签名

第　周 · 　月　　日 · 星期

语文	
数学	
英语（其他）	
老师留言	作业完成情况 家长签名

语文	
数学	
英语（其他）	
老师留言	作业完成情况 家长签名

第　周·　月　日·星期

语文	
数学	
英语（其他）	
老师留言	作业完成情况 家长签名

语文	
数学	
英语（其他）	
老师留言	作业完成情况 家长签名

语文	
数学	
英语（其他）	
老师留言	作业完成情况 家长签名

语文	
数学	
英语（其他）	
老师留言	作业完成情况 家长签名

语文	
数学	
英语（其他）	
老师留言	作业完成情况 家长签名

语文	
数学	
英语（其他）	
老师留言	作业完成情况 家长签名

语 文	
数 学	
英 语（其他）	
老师留言	作业完成情况 家长签名

语文	
数学	
英语（其他）	
老师留言	作业完成情况 家长签名

第　周·　月　日·星期

语文	
数学	
英语（其他）	
老师留言	作业完成情况 家长签名

第　　周・　　月　　　日・星期

语文	
数学	
英语（其他）	
老师留言	作业完成情况 家长签名

21

语文	
数学	
英语（其他）	
老师留言	作业完成情况 家长签名

第　周·　月　日·星期

语文	
数学	
英语（其他）	
老师留言	作业完成情况 家长签名

语文	
数学	
英语（其他）	
老师留言	作业完成情况 家长签名

语文	
数学	
英语（其他）	
老师留言	作业完成情况 家长签名

语文	
数学	
英语（其他）	
老师留言	作业完成情况 家长签名

语文	
数学	
英语（其他）	
老师留言	作业完成情况 家长签名

第　周·　月　　日·星期

语文	
数学	
英语（其他）	
老师留言	作业完成情况 家长签名

语文	
数学	
英语（其他）	
老师留言	作业完成情况 家长签名

语文	
数学	
英语（其他）	
老师留言	作业完成情况 家长签名

语文	
数学	
英语（其他）	
老师留言	作业完成情况 家长签名

好书推荐

《标点符号历险记》

《标点符号历险记》讲述了首都标点符号学校的五个小伙伴响应国王号召，历经重重困难去伯舒岭历险的故事。

精彩亮点抢鲜看：

● 且看自信的感叹号如何智斗大鱼！

● 机智的省略号如何献计巧过水沟！

● 胆怯的问号如何将懦弱"传染"给勇猛的老鹰！

● 勇敢的逗号如何用泪水脱险！

● 乐于助人的句号如何"三十六变"！

《成语笑话》

开心读笑话，轻松学成语。同学们可以在欢声笑语中学会成语，学会表达，学会创作。